一瞬で気持ちを切りかえる！

凹まない人の感情整理術

植西聰

「思い通りにならなくてつらい」

「心が折れそうなくらいに悲しい……」

「震えるほど腹が立つ」

「嫉妬が抑えきれない」

「逃げ出したいほど焦っている」

今、この本を手にしているあなたの心は、どんな状態でしょう？

私たちの人生にはときどき、自分では望んでいないそんな出来事が訪れます。

そして、人知れず心を傷つけられ、いったん凹むとなかなか立ち直れない人もたくさんいます。


人の心の中には、さまざまなエネルギーが渦を巻いていて、大きくは「プラス」と「マイナス」の2つのエネルギーに分けられます。

プラスのエネルギーが心の中に増えると、心は強くなり凹みにくくなります。

ところが、マイナスのエネルギーが心の中に増えると、心は弱くナイーブになり、ちょっとしたことでも凹みやすくなるのです。

人の感情は、大きく「喜・怒・哀・楽」に分けられます。このうち「喜」「楽」は、心にプラスのエネルギーをどんどん増やしてくれます。

ところが「哀」「怒」などのネガティブな感情は、心にマイナスのエネルギーを増やしてしまうため、それが絶えず心の中に積もっていくと、やがて自己嫌悪やマイナス思考として定着してしまうのです。

なかでも、怒りや憎しみ、妬《ねた》みといった感情は、プラスのパワーを一瞬で吹き飛ばしてしまうほど強力です。ただ、涙を流すことは、決して悪いことではありません。涙が心に積もったマイナスのエネルギーを流し去ってくれることもあるからです。

しかし、そうした状態からなかなか脱け出せず、腹が立って夜も眠れなかったり、お風呂の中でひとり泣いているような日が続いているのなら、そろそろ心の元気を取り戻すための何らかの対策をとった方がいいでしょう。

あまりにも心が凹んだ日が続くと、次第にその状態が「当たり前」になってしまい、いざ立ち直ろうとしても、それが叶わなくなってしまうからです。

この本では、心の中に存在するエネルギーのスイッチを切りかえるように、マイナスからプラスに転じるためのさまざまな方法や知恵を紹介します。

ネガティブな感情が心に渦を巻き、自分では収拾できないようなとき、このプラスに転じるスイッチによって、心が次第にスッキリと整理され、やるべきことや対処法なども見えてくるはずです。

心にプラスのエネルギーが増えると、暗く沈んでいた心も次第に明るくなり、本来のイキイキとした自分を取り戻すことができるのです。

私は心理カウンセラーとして、これまでたくさんの人が苦しみから立ち直る様子を見守ってきました。

今、笑顔で輝いている人も、ずっとそうだったわけではありません。

過去には自己嫌悪に陥るような失敗や孤独感にさいなまれるなど、つらい経験をたくさんしてきたはずです。

しかし、そこから立ち直って、明るい毎日を手に入れたのです。

その方法は、決して難しくはありません。

考え方、言葉の使い方、毎日のちょっとした習慣、落ち込みそうになったときの対処法……。そうした、いくつかのポイントを押さえておくだけで、心の状態はマイナスからプラスへと変わっていくのです。

最初は難しいかもしれませんが、続けるうちに、必ず成果は現れるはずです。そして一度、心がプラスのエネルギーでいっぱいになると、そのプラスのエネルギーがプラスの出来事を引き寄せるという、理想的な循環に入っていくことができます。

この本が、一人でも多くの方の人生を明るく照らすきっかけになれば、うれしく思います。

植西　聰

目次

2章 とまらない怒りをおさえたいとき
~怒らない16のコツ

3章 こみあげる嫉妬を消したいとき

~嫉妬しない15のコツ

4章 自己嫌悪のサイクルから脱出したいとき

～自己嫌悪しない14のコツ

5章 マイナス思考に歯止めをかけたいとき

～マイナス思考を断つ17のコツ

6章 孤独を感じてつらくなったとき

～孤独にならない15のコツ

7章 焦りやプレッシャーに負けそうなとき
～焦らない17のコツ

1章

泣きたい気持ちを乗り越えたいとき

失ったのではなく「手放した」と考える

何かを失って悲しんでいるのなら、
それは失ったのではなく「手放した」と考えましょう。
手放したぶんだけ、新しい何かが手に入るはずです。

「つき合っていた人にふられてしまった」

「会社を辞めて、収入がガクンと減った」

そんなふうに、これまで大事にしてきたもの、持っていたものをなくすと、私たちは何かすごく大きなものを失ったような気がしてしまいます。

でも、失ったものはもう元には戻りません。なくしたことを悔やんでいると、

「あんなに好きになれる人とは、もう二度と出会えない。自分は将来、このまま一人で孤独に生きていくんだろう」

「会社を辞めなければよかったのかもしれない……」

と後悔だけでなく、不安な気持ちまで膨らんできます。悔やみ続けるほど、心にはどんどんマイナスのエネルギーが増えていってしまうのです。

こんなとき、自分は「失った」のではなく「手放したんだ」と、とらえ方を変えてみましょう。「失う」というと、そこにはネガティブなイメージがつきまといます。ところが、同じことも「手放す」ということで、自分の元から不必要なものを放すというポジティブなイメージに変わります。

「彼を失ったのではなく、うまくいかなくなった恋人への執着を手放したんだ」

「会社と給料を失ったのではなく、会社と給料に縛られる人生を手放したんだ」

そんなふうに考えると、気持ちが前向きに変わっていきます。

このように、**ひとつの事実を違う意味合いでとらえ直すこと**を心理学では「リフレーミング」といいます。リフレーミングをうまく活用すれば、心にあるマイナスのエネルギーを一瞬にしてプラスに切りかえることができます。

失うことがきっかけで、人生が好転するケースは少なくありません。

手放してこそ、新しいものを手にすることができるのです。

「来年の今頃は忘れている」と考える

去年の悩みをもう忘れているように、
今、悩んでいることも来年には消えているはず。
そう思うだけで、気持ちが少しラクになります。

ちょっとしたことで、ひどく落ち込んでしまうことがあります。そんなときは、ひと息ついて、自分にこう問いかけてみてください。

「これは、そんなに落ち込むほど、重大なことだろうか？」

すると、「改めて考えてみれば、それほど重大なことでもないか」という結論に達することが多くなるはずです。

なぜなら、**人生で重大な出来事というのは、実際にはそんなにたくさんはない**からです。

「今、気に病んでいることも、長い人生の中では、大きな問題ではない」

そう気がつくと、途端に気持ちがふっと軽くなります。

心の中で膨らみかけていたマイナスのエネルギーが、空気が抜けるように、小さくしぼんでいったからです。

そうなれば、元気を取り戻せるのは時間の問題です。

人間は、忘れっぽい生き物です。

過去に、涙が出るほど悲しかったことや、震えるほど腹が立ったこと、絶対に立ち直れないと思った出来事もあったはずなのに、今になってそのときのことを思い出すと、原因が何だったのかもよく覚えていなかったりします。

「そうか。どんなにつらくても、やがて自然と解消するんだ」

そう思った瞬間、心のマイナスのエネルギーは減り、プラスに切りかわります。

落ち込んでいるときは、その問題が永遠に続くような気がしてしまいますが、**永遠に続く苦しみなど、実際には存在しない**のです。

「来年の今頃は忘れている」は、あながち気休めではないはずです。

ネガティブな言葉は心に入れない

他人のネガティブな言葉から、
自分の心を守る防御法を覚えましょう。
無神経な人の言葉に、日々の平穏を邪魔させてはいけません。

「あなたってブサイクね」

「きっと、またうまくいかないよ」

こうしたネガティブな言葉が持つパワーは、とても強力です。

そのため、周囲に口の悪い人がいると、日頃から自分の心をポジティブに保つよう努力していても、それを台無しにされてしまうことがあります。

落ち込みやすい人の多くは、そうした他人のネガティブな言葉の影響を受けやすく、元気になろうと頑張っても、人と話すとまた落ち込んでしまうことがよくあるようです。ネガティブな言葉ほど、心の中にくり返し浮かんできて、自分の心を弱らせるのです。

そんな人に覚えて欲しいのが、他人のネガティブな言葉を自分の心に入れないよう、ブロックする方法です。

例えば、何か自分のやってみたいことを占い師や友人に話して「きっと、うまくいかない」といわれたとします。そんなとき、その言葉やいわれた状況を思い出して凹んだり、腹を立てるのではなく、

「占い師のいうことなんて、信じていないから気にしない」

「友人の意見は、単なるひとつの意見」

という具合に、彼らの言葉を**「ブロックする言葉」を口に出していってみてください。**

具体的には**「聞き流す」「その他大勢の意見として扱う」**というふたつのことを身につけると、他人の言葉に傷ついて凹むことが減っていきます。

世の中には無神経な人がいるものですが、ある意味、それは仕方のないことです。自分を守るプラスの言葉で、すかさず防御してはね返しましょう。

時間を決めて思いっきり落ち込んでみる

泣きたいような気持ちが長く続いてしまうのなら、あえて、その気持ちにどっぷりとつかり、思いきり落ち込むのもひとつの方法です。

何をしても明るい気持ちになれないときは、反対に、時間を決めて思いっきり落ち込むことで、スッキリすることがあります。

落ち込んだときにいけないのは、ずっとその状態が長く続くことです。いつまでもイヤな気持ちを引きずってしまうと、それがストレスとなって、心のマイナスのエネルギーをどんどん増幅させてしまいます。

これは、重い荷物をずっと持ち続けている状態と似ています。

最初はどうにか持っていられても、時間がたつにつれ、手や腕が痛くなり、やがて限界に達します。

心も同じです。長い時間ストレスにさらされ続けると、やがて精神的にまいってしまい、回復にも時間がかかります。

一方、同じ落ち込みでも短い時間なら、号泣するくらい落ち込んだとしても、その後に気持ちを切りかえやすくなります。

時間を区切ってとことん落ち込み、思いきり悲しみの感情を味わうことで、心のマイナスのエネルギーを一気に燃やしてしまえば、その後、じわじわと増えていくこともありません。

例えば、過去に別れた恋人が、結婚するというウワサを聞いたとしましょう。「自分だけが取り残されたみたい」「私は、そもそも恋愛運がないんだ……」などと凹んでいても、どんどんつらくなるだけです。

思いきって、時間を区切って落ち込んでみてください。

「今晩だけ思いっきり泣いたら、明日からは忘れよう」

そう、自分に宣言すると、うまく気持ちを切りかえられるでしょう。

どんなに落ち込んで泣いても、明日から笑顔になれればいいのです。

自分の落ち込みグセを知る

心が折れやすい、落ち込みやすいという人は、自分がどんな場面でダメージを受けやすいのか、考えてみましょう。自分の弱点をわかっていると、落ち込みを未然に防げます。

心が折れるきっかけというのは、人それぞれです。

仕事のことではよく落ち込むけれど、それ以外ではまったく平気という人もいれば、反対に、仕事では何をいわれても気にしないけれど、恋愛となると、ささいなことで傷ついてしまう人もいます。

自分の落ち込みの正体を突きとめるには、自分が凹んでいると感じたとき、**「なぜ、こんなに落ち込んでいるのだろう?」**と心に問いかけてみるといいでしょう。気持ちが沈むたびにその質問をくり返すと、だんだんと自分はどういう場面でダメージを受けやすいのかがわかってきます。

「私は人とのコミュニケーションがきっかけで落ち込むことが多い。とくに女友達とのすれ違いが凹む原因になりやすい」

「お金のことで落ち込みやすい。学生時代の友人に比べて、収入が少ないことが気になっている」

「自分の将来を思うとき、不安で気持ちが沈んでしまう……」

こんなふうに、自分が落ち込みやすい弱点をわかっていると、それを解決するための方法も見えてきます。

例えば、ある女友達とのつき合いでストレスを感じやすいなら、会う回数を減らしてみるのも方法です。経済的な不安が一番の弱点なら、ファイナンシャル・プランナーに一度、お金の相談をしてみるのもいいでしょう。

方法はいろいろと考えられます。やってみることで、落ち込んでいたのがウソのように、心が晴れることもあるでしょう。

自分の落ち込みパターンを知り、解決に向けて行動すると、対策が見えてきます。そうすることで、同じ状況でも大きく落ち込むことを防げるのです。

つらい経験に隠されたメッセージを読み取る

どんな経験からも、学ぶことはできます。つらいときは
「この経験は自分に何を伝えようとしているのだろう？」
そう考えてみると、幸せへのヒントが見えてきます。

母親が病気になってしまい、落ち込んでいる女性がいました。

その女性は正社員としてバリバリ働いていましたが、母親が倒れてからは、病院の送り迎えなどの世話で、会社勤めとの両立がきつくなっていました。

「このままでは、会社の同僚に迷惑をかけてしまう」

「母親ももう年だし、このまま寝たきりになってしまったらどうしよう……」

独身で、父親を早くに亡くしていた彼女は、他に頼れる人もいません。心の中は不安で押しつぶされてしまいそうでした。

「正社員として、頑張ってきたこれまでのキャリアもすべて水の泡だ」

そう落ち込んでいる彼女を見て、親友はこんなアドバイスをしました。

「今のつらい経験には必ず、何か意味があるはずだよ。お母さんの病気はもしかすると、仕事に夢中で、自分の体や家族との時間をおろそかにしていたあなたに、神様が『少し休みなさい』とメッセージを送っているのかもしれないよ」

その言葉を聞いて気持ちを切りかえた彼女は、思いきって会社に「時短勤務」を申し出てみました。それまでは毎日残業をしていましたが、4時には退社をして、母親と一緒に過ごす時間を作ったのです。彼女は、

「給料は減りましたが、久しぶりに母とゆっくりと話す機会を得ました。毎日が忙しくて、ろくに話す時間もなかった私と母にとって、宝物のような時間でした」

と語っていました。

そのときは苦しく、無意味に思えることでも、数年経ってみると**「あのときの経験がなければ今はない」**と思い直すようになることがよくあります。

思うようにならないときは「ムダな経験などない」と考えてみてください。その経験を通して、神様があなたに伝えたいメッセージがきっとあるはずです。

泣かないコツ 7

「自分のための時間」を作る

ため息をつく回数が増えてきたら、ひとりきりになる時間を作りましょう。自分の心と向き合うことで、傷ついた心のメンテナンスができます。


「人間関係に疲れて、もう誰とも会いたくない」

「毎日頑張っているのに、落ち込むことばかり……」

こんなふうに、心の中にマイナスのエネルギーが増えてきたときは、心のメンテナンスタイムとして、ひとりになる時間を作ることがおすすめです。

人は、ときどきひとりになれる時間がないと、精神的にまいってしまいます。

現代人は常に忙しく、何かに追われています。スケジュール帳が仕事や人とのつき合いなどで埋まってしまい、のんびりと過ごす時間を持つことが難しいという人も少なくないでしょう。

しかし、いつも誰かと一緒にいると、どうしても相手に合わせざるを得なかったり、自分の意思とは違う方向に流されてしまうことが多くなります。

結果的に、自分の「本音」を抑え込むことになり、心にストレスとマイナスのエネルギーがたまっていくのです。

気分が沈みやすくなったときは、心にプラスのエネルギーを増やすために、**誰のためでもない、自分のためだけに使える時間**を作りましょう。

例えば、仕事や買い物の帰りなどに、ふらりと立ち寄れるカフェを探してみるのもいいでしょう。静かで人も少なく、清潔感が漂う場所がベストです。

そこで、おいしいお茶を飲みながら、これからの自分のことを考えたり、読みたかった本を読んだり、自由で穏やかな時間を過ごすと、自然とリラックスできるはずです。自分のための貴重な時間ですから、そんなときくらい、悩み事なんて考えないようにしましょう。

1日30分だっていいのです。自分と向き合う時間を作って、マイナスのエネルギーをため込まないことが、落ち込みやすい日々から脱け出す秘訣です。

相手に期待をしないとすべてがサプライズになる

人は誰でも無意識のうちに、
他人が自分を喜ばせてくれることを期待します。
その期待が大きすぎると、深く落ち込む原因になります。

自分が相手に何かしてあげたとき、それにふさわしい対応を返して欲しいと思うのは人間の本能です。その欲求が満たされないと、裏切られたような気がして心が沈み、マイナスのエネルギーが増えることになります。

例えば、ある会社の若い男性社員は次のような経験をしました。

マジメな性格の彼は、毎日、仕事に必死で取り組み、「自分が誰よりも頑張っているのを課長も見てくれているはず」と信じていました。

ところが、意外なことに、ボーナスの査定はかなり低いものでした。

「どうして、上司は自分を認めてくれないのだろう」

落ち込んだ彼は仕事そのものがイヤになり、最終的には退職してしまいました。

彼は、上司に期待をしすぎてしまったのです。

そのため、期待通りにならなかったとき、反動で大きく落ち込んでしまいます。

落ち込みやすい人の特徴に「相手に期待しやすい」ということがあります。

本来、仕事のやりがいとは、上司に認めてもらうことだけではないはずです。

「こんな時代に、仕事があるだけありがたい」

そんな考え方ができれば、退職するほど深刻に落ち込まずにすんだでしょう。

つい、相手に過剰な期待をしてしまう人は、

「他人が何かしてくれるなんて、ありえない」

そう思えば気がラクです。何もしてくれない相手に対して、不満を感じたり、がっかりして傷つくこともありません。

「他人が自分にしてくれることは、すべて想定外のサプライズ」と決めてしまえば、何かしてもらったときの感謝の気持ちだけが増えることになります。

泣かないコツ●9

グチを聞いてもらう相談相手は慎重に選ぶ

問題を解決することはできなくても、
自分の気持ちを誰かに理解してもらうことができれば、
それだけで落ち込みの半分以上が解消されます。

凹んだ気分から脱け出す手っ取り早い方法に、**自分を肯定してくれる人に話を聞いてもらう**ということがあります。自分を肯定してくれる人とは、いい換えると、自分のことをいつも応援してくれている人のことです。

「それは大変だったね、つらかったでしょう」

「その悔しい気持ち、よくわかるよ」

そんなふうに、自分の気持ちを相手に理解してもらえると、それだけで心は大きな満足感を得ます。人は本能的に、他人が自分の話に共感してくれることを望んでいるからです。

さらに、自分を応援してくれる相手なら、一緒にいるだけで安心感を覚えるため、心にどんどんプラスのエネルギーが増えやすくなります。つまり、短時間で元気を取り戻せるのです。

一方、「誰でもいいから話を聞いて欲しい」と**相手を選ばないで、落ち込んだ気持ちを話すことは危険**です。

なぜなら、話を聞いてくれる人のなかには、他人の不幸を喜ぶ性格の人がいないとも限らないからです。

実際に相手を間違えて、話す前よりもさらに深く落ち込んでしまい、なかなか立ち直れなくなったという人の例もたくさんあります。

凹んだときの相談相手は「慎重に選ぶ」くらいでちょうどいいのです。

ただし、どんなに自分を応援してくれる人でも、毎日グチを聞かされれば、うんざりしてきます。

相手の迷惑にならない程度にして、また、相手からグチや相談を聞いて欲しいと頼まれたときは、喜んで聞いてあげる姿勢を持つことも、忘れてはいけません。

過去や未来ではなく「目の前のこと」に集中する

終わったことを悔んでも仕方がないのに、つい思い出してしまう。
そんなときは、今、目の前のことに意識を集中することで、
つらい気持ちを切りかえることができます。

人が、どうしようもできないことのひとつに「過去」があります。

過ぎたことを今さら変えることなどできません。

変えることのできないものに執着すると、不安と苦しみは増える一方です。

「2年前に別れた恋人に、いまだに未練がある。でも、復縁することはないだろう。この先、自分は一生独身なのだろうか?」

「景気がよかった頃はどんな仕事をしても儲かったのに、今は何をやっても赤字で生活が苦しい。老後はどうなるのだろう?」

そんなふうに、過去を悔いながら、現在の状況に落ち込んでいると、それが未来もずっと続く気がしてきます。マイナスの連鎖で、自ら落ち込みを深くしてしまうのです。

もちろん、過去に執着することすべてが悪いとはいいません。思い出すたびに、「あの頃は本当に楽しかったな」と心がプラスになることならいいのです。

しかし、過去と比べて「今の自分はなんてみじめなんだろう」と暗くなってしまうのなら、思い出さない方が確実に幸せです。

私たちが生きているのは、過去でも未来でもなく「現在」です。

とにかく**「今」という瞬間に、意識を向けること**が大切なのです。

それでも、くり返し過去の記憶がよみがえり、不安な気持ちになるときは、これまで話したように「私はあの経験から、何を学んだだろう？」と考えてみるといいでしょう。マイナスの感情を切りかえることができるはずです。

仏教には**「執着を捨てれば、苦しみはなくなる」**という教えがあります。

「今」を大切にして、目の前のことにベストを尽くせば、過去への執着など思い出すひまもなくなるでしょう。すると、明るい未来もついてくるものです。

プラスの言葉を味方につける

言葉は、私たちの心身に大きな影響を与えます。
普段からプラスの言葉を使うようにするだけで、
心にプラスのエネルギーが増えて、凹むことも少なくなります。

昔の日本人は、言葉そのものに霊力が宿っていると信じ、実際に口に出した言葉の内容は、現実になると考えられてきました。

この言葉のパワーは、実際に感じることができます。試しに今、**「毎日つまらないなあ。ツイてないから、悪いことばかり起こる。お先真っ暗だ」**と口に出していってみてください。途端にイヤな気持ちになり、いえばいうほど、心が暗くなっていくのを感じるでしょう。

一方、こちらの言葉はどうでしょうか？

「いいことばかり起こって、毎日楽しくてしょうがない。未来は明るい！」

いい終わった途端に、心の中にプラスのエネルギーが増え、元気が湧いてくるのを感じた人は多いと思います。

このように、言葉が私たちの心身に与える影響は、想像以上に大きいものです。

普段から、プラスの言葉を使うように心掛けてみてください。

プラスの言葉とは「ありがとう」「楽しい」「うれしい」「おいしい」「運がいい」「好き」「おめでとう」というような、心が浮き立ち、ワクワクしたときに口をついて出るような言葉です。

同時に、グチや不平不満、悪口など、マイナスのエネルギーが大きい言葉は、できるだけ避けることが肝心です。落ち込んでいるときは、つい、口をついてしまうかもしれませんが、そんなときこそ、意識的にプラスの言葉を使って、心にプラスのエネルギーを蓄えていきましょう。

常にプラスの言葉を使っていると、それだけで心が凹む出来事が起こりにくくなります。つまり、心が凹むというマイナスのダメージに強くなるのです。

過去のつらい体験談や苦労話はしない

過去のつらい体験を話してもいいのは、
その苦労を乗り越えて、笑い話にできたときだけです。
自分から癒えていない傷をまた傷つけるようなことはやめましょう。

落ち込んでいるときは、人との会話の話題にも注意しなくてはいけません。

つい、いってしまいがちなのが、過去の苦労した体験談です。

「学生時代はずっと友達ができなくて、ひとりぼっちで悲しかった」

「長年つき合っていた恋人に、ふたまたをかけられていたと発覚したときは、ショックで泣き続けた」

「幼い頃に両親が離婚したので、寂しい家庭で育った」

悪口やグチは滅多にいわない人でも、こんなふうに過去のつらかったこと、苦労したことは、つい口に出してしまうことがあります。

でも、こうした話も、できればいわないほうがいいのです。

なぜなら、**つらい体験談や苦労話にはマイナスの言葉が多く、話している自分自身の心を曇らせる**からです。

苦労話というのは、話している最中は、ストレスが発散されているような気分になります。しかし、それは錯覚です。一時的に興奮状態に陥っているだけで、話し終わった後は、つらさや苦労を思い出して暗い気持ちになり、「話さなければよかった」と後悔することになるのが大半です。

苦労話をしてもいいのは、それを乗り越えて、笑い話にできるくらい、**心がふっきれた状態**のときだけです。

もし、誰かに昔のつらい体験や苦労について聞かれたときは、「若気の至りで失敗もありましたよ。でも、今はこうして元気ですからご心配なく」とやんわりとかわしましょう。

涙ながらに当時のことを説明する必要はありません。

苦労話をくり返し口に出すと、また苦労をすることになりかねません。

自分を元気にする「おまじない」の言葉を持つ

人は、ちょっとしたひとことに勇気をもらい、元気になれることがあります。

そんな自分自身を励ます言葉を持っていると、心が大きく凹まない「おまじない」になります。


社会人なら誰でも、職場でつらいことや、イヤな目にあうことがあるものです。

とくに、人間関係がうまくいかない場合は、会社に行くことが苦痛になるほどのストレスになります。

そんなとき、自分の心を慰め、元気づけるための「おまじない」のような言葉を使って、マイナスの感情にふり回されるのを防ぐことができます。

住友銀行の故・堀田庄三名誉会長（当時）が、新入行員に対するあいさつで述べた有名な言葉を紹介しましょう。それは、**「青い熊」**というものです。

あせるな
おこるな
いばるな
くさるな
まけるな

これらの頭の一文字をつなげて、覚えやすくしたのが「青い熊」というわけです。

これは人生の先輩が、社会に出たばかりの若者に「辛抱」を教える言葉とも考えられます。

思い通りにいかないとき、「あ・お・い・く・ま」とつぶやいてみてください。

そして、青い熊が自分に向かって「あせるな」「おこるな」「いばるな」「くさるな」「まけるな」と励ましているシーンをイメージしてみましょう。

きっと、心のマイナスのエネルギーが小さくなるように感じると思います。

自分を元気にする**「おまじない」の言葉**をひとつ持っておくだけでも、人生で凹んだり落ち込む時間は短くなります。

大好きな色の服を着る

元気が出ない日は、大好きな色の服を着ましょう。
その色が目に入るたびに、ウキウキするような服を選ぶと、
沈んだ心が自然と上向きに変わります。

私たちは、体の「五感」といわれる「嗅覚・聴覚・味覚・触覚・視覚」を通じて、周囲からの情報をキャッチしています。

なかでも、最も情報量が多いのは「視覚」です。目で見た情報量は、それだけで全体の87%を占めるといわれています。

青い空、白い雲、緑の草原など、美しい色の景色を見て、さわやかな晴ればれとした気分になった経験は、多くの人にあるのではないでしょうか？

反対に、どんよりと黒い雲で覆われた空を見て、なんとなく気分まで暗くなっ

た経験がある人もいるでしょう。

これらは、視覚から得た情報が、その人の心に影響を与えるためです。

このような色と心の仕組みを利用して、沈んだ気持ちを明るく切りかえることができます。その方法のひとつは「大好きな色の服を着る」ということです。

服だけでなく、靴やハンカチ、女性ならマニキュアの色など、自分の目に入りやすいものを大好きな色にすると、心は自然とウキウキします。

ここで注意したいのは、**凹んでいるときは、好きな色であっても、暗い色はあまり選ばない方がいい**ということです。

落ち込んでいるときは、無意識に黒っぽい服を選んでしまうことがあります。暗い色は心理学的にも、心を閉ざすといったマイナスの意味合いがあるからです。

できれば、暗い色が好きな人も、落ち込んでいるときだけは、**オレンジ、赤、黄、ピンクなどの明るい色**を選びましょう。

明るい色の持つパワーが、視覚を通じて心にプラスのエネルギーを与えて、凹んでいても、自然と元気が湧いてくると思います。

何気ないシンプルな方法ですが、効果は抜群です。

笑顔のスイッチで心を切りかえる

楽しいから笑うのではなく、「笑う」から楽しくなるのです。
泣きたいときこそ、意識的に笑顔を作ることで、
落ち込んだ気分を明るくすることができます。

落ち込んでいるときは、その人の心にマイナスのエネルギーが増えているため、顔の表情も、どうしても曇りがちになります。

表情はとても正直です。そのときに感じたことが、そのまま表情に現れると考えれば、表情は「心の状態のバロメーター」ともいえるでしょう。

楽しいことを考えているときは、自然と笑顔になり、心が凹んでしまったときは、おのずと表情が暗くなるのです。

この仕組みを使って、心の状態を明るくすることができます。方法は簡単です。

面白いことがなくても、意識的に表情を笑顔にするのです。

するとと不思議なことに、本当に楽しい気持ちになってきます。反対に、元気なときも暗い表情を作ると、気分までなんとなく沈んできます。

このように、表情を意識的に変化させると、それに伴い、感情も変化することを心理学では「フェイシャル・フィードバック効果」といいます。

本来なら、まず心が先にあって表情が後になるはずなのに、表情が先で心が後についてくるなんて、面白いと思いませんか？

もしかしたら神様は、落ち込んだ人の心を強制的に明るくするために「笑顔」をそのスイッチにしたのかもしれません。

試しにやってみるとわかりますが「悪いことしか思い浮かばない」というときでさえ、**にこっと口角を上げて笑顔を作ると、気持ちが必ず上向きになります。**

普段、あまりニコニコしていないという人は、どうしても笑顔がぎこちなくなってしまいます。

鏡に向かって、笑顔の練習をしてみましょう。

笑顔が板についてきた頃には、心の中も必ず明るくなっているでしょう。

立ち直った自分の姿をイメトレする

心が折れて、なかなか立ち直れない原因は、「落ち込んでいる自分」にどっぷりとつかっているためです。そこから立ち直り、元気になった自分をリアルに想像すれば、落ち込んだ気分はリセットされます。

落ち込んだ気分から立ち直るためにいろいろなことを試してみても、なかなか気分が晴れないという人がいます。

そういう人は、凹んだ状態が自分の「普通」になってしまっているのです。

そのため、いいことがあると少し気持ちが上向きになるのですが、すぐに「普通」の凹んでいる状態に戻ってしまいます。

つまり、自分で思い描いた、落ち込んでいる「自分」のイメージが、そのまま現実になってしまっているのです。

この仕組みを利用して「立ち直って元気に過ごしている自分」をイメージすることで、落ち込みを脱け出すことができます。

まず、イヤなことがあってもすぐに元気になれる自分を「本当の私の姿」と考えます。そして、**明るく笑っている自分の姿をくり返し、リアルにイメージする**ことで、心の中にたまったマイナスのエネルギーは消えていきます。

この方法は**「イメージトレーニング」**といわれるものです。

あるプロ野球の投手は、自分が最後の打者を打ち取り「ヨシ！」とガッツポーズをする姿を試合前にイメージすることで、勝てる自信が湧いてくるといいます。

凹みやすく、落ち込みが慢性化している人は、イメージトレーニングをうまく取り入れて、自分を変えていきましょう。

「周りの目を気にせずに、堂々とふる舞っている自分」

「小さなことにクヨクヨせず、仕事もプライベートも意欲的な自分」

イメージすると、心がワクワクしてくるでしょう。寝る前やカフェでひと息つくときなどに、気軽に試してみてください。効果は抜群です。

泣かないコツ 17

相手の悩みに立ち入りすぎない

人の悲しみやつらい出来事に共感しすぎると、
自分の心も無意識に沈んでふさいでしまいます。
あなたはその人が元気になるよう、応援するだけでいいのです。

本来なら、自分が心配しなくてもいい他人の問題に首を突っ込んで、自分のことのように悩み、苦しんでしまう人がいます。

ある女性は、恋人のことが心配でたまりません。彼から

「仕事で後輩のミスをかばったら、上司から『お前が甘やかすから、こんなことになるんだ』と、こっぴどく叱られてしまった」

という話を聞かされたときは、

「あなたは正しいことをしたのに、ひどい。そんな上司のいる職場なんて、さぞ

つらいでしょう。辞めてしまえばいいのに……」

などと彼を心配することで、一緒になって自分まで凹んでしまうのです。

では、そんな彼女の様子を見て、彼が喜ぶかというと、そうでもありません。

彼は彼なりに自分の気持ちを整理して、元気にまた会社へ行っているのです。彼女の心配は、現実的に彼のためになってないにもかかわらず、彼女自身の心のマイナスのエネルギーを増やす原因になってしまっています。

そもそも、他人の抱えている問題を、別の人が解決することはよくありません。その人に問題が起こるのは、本人にその原因があり、その問題から何かを学ぶべき意味のあることなのです。

周囲の人は、**その人が無事に問題を乗り越えられるよう、元気づけて応援してあげるだけ**で十分です。

自分のためにも、相手のためにも、他人の問題には立ち入りすぎないようにしましょう。

笑顔で励ますことの方が、お互いにとって必ずプラスになるのです。

凹んでいるときは体を動かす

気持ちを切りかえられず、凹んだ状態が長く続くとやがて体のだるさや倦怠感まで生まれてしまいます。体力や健康のためにも、気持ちを明るく保ちましょう。

落ち込んだ気分がずっと続くと、なんとなく体の調子が悪くなったり、やたらと眠くなったりすることがあります。

落ち込んでいると、体力を消耗しやすいためです。

意外に思うかもしれませんが、**人は気持ちが沈んでいると、元気なときよりも多くのエネルギーを使う**のです。

いいことがあったり、明るい気分のときは、はつらつとして、何をしても疲れる気がしません。心にプラスのエネルギーが満ちているので、少しくらい疲れても、あまり気にならないのです。

また、心がプラスのエネルギーでいっぱいのときは、楽しいことやうれしいことを引き寄せます。自然とパワーが湧いてくる状態になるのです。

一方、落ち込んでいるときは、マイナスのエネルギーが心も体も支配しているため、何もする気が起きません。長く続くと、無気力になり、体のだるさや倦怠感につながり、体調まで悪くなってしまいます。

日々忙しい現代人にとって、元気に毎日を過ごすことは、何よりも重要です。「寝ても、だるさがとれない」「やたらと眠くなる」

そんなときは、凹んだ状態が長く続いているサインともいえるでしょう。

その状態から脱け出すためには、散歩やストレッチなど、軽い運動をしてみることがおすすめです。**体が気持ちいいと感じる適度な運動には、マイナスの感情を強制的に切りかえ、心をリフレッシュする効果がある**のです。

落ち込んでいると、体力や健康まで失ってしまいます。

そうわかると、いつまでも落ち込んでいるのはもったいないと思えるでしょう。

体を動かして、マイナスのエネルギーを体の外に追い出しましょう。

泣かないコツ 19

規則正しい生活で折れない心を作る

目の前の悩みを解決しても、
また明日には、新たな悩みが起こるかもしれません。
大切なのは、何があっても簡単に折れない心を日々作ることです。

折れない心を作るために大切になるのは、毎日の生活習慣です。

とくに重要なのは「体力をつけること」でしょう。

これまでも話したように、体力と気分は大きな関係があります。

例えば、徹夜続きで体力が落ちているときは、

「疲れた」「眠い」「だるい」「何もやりたくない」

といった感情が湧きやすくなるため、無意識のうちに、心にはマイナスのエネルギーが増えてしまいます。

また、疲れていることが原因でミスやトラブルが起こると、さらに凹みやすくなるという悪循環に陥りやすくなります。

そのようなことを防ぐには、**「規則正しい生活」を送ること**が効果的です。

「少し早く起きて、朝、会社に行く前に軽いストレッチをする」

「健康的な食事をとる」

「1日の終わりにはしっかりとお風呂に入って、その日の疲れをとる」

こうした、シンプルな習慣を日々の生活に取り入れるだけで、心には自然とプラスのエネルギーが増えていきます。

うつ状態の人に、専門家がアドバイスするのは、まずは生活習慣の改善だそうです。これは、**日常生活がいかに心の状態に影響するか**という証拠ともいえるでしょう。

目の前の悩みが解決しても、心のマイナスのエネルギーが大きくなったままでは、次の悩みがまたやってきます。

日々を楽しく生きるためには、悩みを引きずらない自分になると同時に、体力がみなぎっていて、悩みを寄せつけない自分になることも大切です。

2章

とまらない怒りを
おさえたいとき

怒りや憎しみを手放すことで幸せになる

怒りや憎しみといったマイナスの感情は
それを相手に向けることで、
ますます自分自身が凹む原因になります。

私たちの心は、他人の言動に大きな影響を受けます。

普段から気持ちをプラスに保つ努力をしていても、無神経な他人のたったひとことで、心が一気にマイナスのエネルギーでいっぱいになってしまい、カッとなったり、悔しくて眠れないといった経験をしたことは、誰にでもあるでしょう。

とくに、心が折れやすい繊細な人や、人づき合いに苦手意識がある人は、他人と会うたびに何かしらのマイナスの感情が生まれてしまいがちです。

そして、自分にとって不愉快な言葉をいわれたり、イヤな態度をとられると、

それを思い出して、

「あの人のせいで凹んだ」とマイナスの感情を相手に向けて責めるのです。

しかし、相手を責めればまた、心にはマイナスのエネルギーが増えて、ますますイヤな出来事が引き寄せられることになります。

つまり、元をたどればそれは、自分の心が引き寄せているのです。

イヤなことがあって凹んだとき、誰かを責めたり、自分の行動を悔んだりするのではなく、**「これは私の心が今、マイナスに傾いているから起きた出来事なのかもしれない」**と考えてみてください。

そして「自分の心にプラスのエネルギーを増やすことにしよう」と意識を切りかえて、自分にとって楽しいことをするようにしましょう。

相手を憎み、相手のせいにすることは、さらに自分の心にマイナスのエネルギーを増やすことになります。結果的にそれはマイナスの出来事を引き寄せ、自分が凹むばかりです。

怒りや憎しみといったマイナスの感情を手放すことは、相手のためではなく、自分自身のハッピーのためなのです。

「気にしない」と口に出して過剰に反応しない

相手の言動を大げさに受けとめる必要はありません。
あなたを傷つけるようなマイナスの言葉は、
聞き流してしまえばいいのです。

「私をバカにしているのか？」

「何であなたにそんなふうにいわれなきゃならないの？」

誰かに何かをいわれるたびに、そんなふうにカッとなって怒る人がいます。

私たちの感情は、実際に起きた出来事よりも、その人自身が「何を信じて、どう考えたか」に影響を受けます。

そのため、他人から見たら「たいして気にもならない」という小さなことでも、その当人が大げさに受けとめてひどく腹を立てれば、事実の大きさに関係なく、その人の心には一気にマイナスのエネルギーが増えてしまいます。

最初に失礼なことをした相手にも、確かに非はあるでしょう。

しかし、その事実をどう受けとめるかは、その人の考え方次第です。

同じ悪口をいわれても、怒る人もいれば、すぐに忘れてしまう人もいます。

当然、すぐに忘れて気持ちを切りかえられる人の方が、人生にハッピーでいられる時間が増えていきます。

不愉快なことや理不尽に思うことをいわれたり、イヤな態度をとられたときは、**「気にしない、気にしない」と口に出していってみてください。**

被害者意識があると、心にはどんどんマイナスのエネルギーが増えていきます。

そのため、ちょっとしたことで怒りやすくなり、感情が乱されて、穏やかな気持ちでいられる時間が減ってしまいます。

すべては自分の受けとめ方次第です。

「自分は被害者意識が強いかもしれない」という人は、その自覚を持ち、できるだけ他人のイヤな言葉は聞き流すようにしましょう。意識的に冷静さを保つだけでも、心の中にマイナスのエネルギーが増えることを防げます。

「相手を自分の思う通りに変えよう」と思わない

なぜ、理解してくれないのかと思うから腹が立つのです。

相手を自分の思う通りに変えたいという気持ちを手放しましょう。

それだけで、自分も相手もラクになります。


友人や恋人、同僚など、身近な人に対して「考え方や価値観が合わない」「性格が苦手」という意識を持つと、マイナスの感情が起きやすくなるといえます。

いうまでもなく、人の価値観や性格をやすやすと変えることはできません。

同じ両親の元で育った兄弟でさえ、考え方や趣味、生き方がまるで違うという話はよく聞きます。まったく違う環境で育ってきた他人なら、違うところがたくさんあって当たり前なのです。

それなのに、近い関係の人ほど、自分と相手の違う部分に注目して、ストレスをためてしまうのはなぜでしょうか？

それは、心の奥底に**「親しい間柄なのだから、理解し合えるべき」という思い込み**があるからです。

そして、多くの人は、自分から相手を理解しようとする気持ちよりも「相手が考え方を変えて、自分に合わせるべき」と考えます。

もしも、自分が誰かに「あなたの価値観や性格が気に入らないから、変えてくれ」といわれたら？　きっと落ち込んでしまうはずです。なぜなら、価値観や性格を否定されるということは「自分」を全否定されたのと同じだからです。

身近に自分と違うタイプの人がいて、イラッとくることがあっても、その相手をどうにか変えようとは思わないことです。

例えば、恋人や親友でも「そもそもは他人」「何十年も違う人生を歩んできたのだから、価値観が違って当然」と考えれば、意見が合わないときも仕方がないと思えてくるでしょう。

相手を自分の思う通りに変えようという気持ちを捨てると、相手との違いが気にならなくなり、無用なストレスをためずにすむようになります。

「悪意はない」とプラスの思い込みをする

ムッときたり、イヤな思いをさせられても
相手に悪気があるとは限りません。
悪意と決めつけず、プラスのイメージを膨らませましょう。

「失礼なことをされた」「傷つけられた」とこちらが感じていても、相手には「そんなつもりはなかった」ということは珍しくありません。

私たちは、多かれ少なかれ、自分の思い込みですべての物事をとらえています。冷静に物事を見ることができる人でも、本当の意味で他人の気持ちを理解することなどできません。

相手が自分の気分を害したり、凹ませるような行動をしていたとしても、じつは何らかの事情があって、そのような態度をとったのかもしれないのです。

例えば、上司の機嫌が悪いときに「冷たくされた」「私を嫌っているのかもしれない」などと考え始めてしまうと、心にはマイナスのエネルギーが増えていってしまいます。そんなときに、

「この人にも悩みがあって、そのストレスを私にぶつけているのかもしれない」

「意外と気が小さい人なのかも」

というふうに、一歩引いて考えると、気持ちがラクになるものです。

その人の真意は誰にもわかりません。しかし、大切なのは相手の真意を探ることより、**それを自分がどう受けとめるか**です。

実際には、誤解や相手にとっては何気ないことかもしれないのに、悪意と思い込んで腹を立てたり、傷つけられたと凹んでいると、自分の心にマイナスのエネルギーを増やしてしまうだけです。

反対に、悪意を向けられても**「きっと大したことではない」**と自分にいい解釈をすれば、心にプラスのエネルギーが増えて、気持ちが暗くなることもありません。

誰かに「あれ？」という態度をとられたときは「まあ、相手にも何か事情があったんだろう」という視点を持つと、気持ちがラクになります。

ぶつかって傷つけ合うなら少し離れてみる

人間関係というのはお互いの距離が近づくほど、わがままになったり、遠慮がなくなります。
相手と快適な関係をキープするには、「ちょうどいい距離」を見つけることが大切です。

ショーペンハウエルの『随想録』に収められた有名な寓話で「ヤマアラシのジレンマ」というものがあります。概要は次のようなものです。

あるところに、オスとメスのヤマアラシが住んでいました。二匹は恋に落ちました。愛し合う二匹は、強く抱き合おうとしますが、お互いのハリが刺さって自分の体を傷つけます。

仕方がないので、お互いの間に距離を置いたのですが、愛《いと》しい相手にまた近寄りたくなってしまいます。

しかし、近寄るとやっぱり、ハリが体に刺さって痛いのです。

そんなことを何度かくり返した後、ようやく二匹は、ハリが体に刺さらないで相手の存在を感じられる、ちょうどいい距離を見つけ出したのです。

ヤマアラシの話は、人間関係にそのまま置きかえられます。

日本には「親しき仲にも礼儀あり」という言葉がありますが、これも親しくなりすぎると、トラブルが生じやすくなることから生まれた言葉です。

周囲の人とぶつかりやすい、親しい人に傷つけられたり傷つけていたり、人間関係のトラブルで凹みやすい人は、**相手との距離の取り方**を見直してみましょう。

一定の人とだけ深くつき合おうと思わず、いろいろな人と広く浅く、ほどよい距離感を保ちながら、つき合っていくのもいいでしょう。

ベタベタといつもくっついていることが、お互いをハッピーにするとは限りません。いつもぶつかってしまうなら、少しだけ離れてみることも大切です。

冷静な言葉でこちらの気持ちを伝える

人の言葉にカチンときたり、傷ついたとしても、感情的にいい返してはいけません。冷静な言葉でなければ、相手には届かないからです。

人からイヤなことをいわれたとき、気の弱い人は何もいい返せず、いわれっ放しの自分の弱さに落ち込んでしまうものです。

一方、気の強い人なら、ついカッとなって「どうして、そんなことをいわれなきゃいけないの?」「余計なお世話だ」などといい返すことになるでしょう。

しかし、そこはグッとこらえましょう。

怒りの感情はマイナスのエネルギーがとても強く、言葉に出せば、そのエネルギーはさらに大きくなってしまいます。

だからといって、いつもいわれっ放しではストレスがたまってしまいます。

そんなときは、**冷静な言葉で自分の気持ちを伝えること**を目指しましょう。

例えば、同僚に仕事で助けを求めたとき、

「子供の頃から甘やかされて育ったから、そんなふうにすぐ人を頼るんだろうね」

と嫌味をいわれたとします。

つい、こちらからも嫌味を返したくなりますが、それではお互いに相手を憎む気持ちが大きくなるだけです。ますます状況は悪くなるでしょう。

それよりも、あえて冷静な口調で、こんないい方をしましょう。

「忙しいのなら断ってくれてもいいんです。でも直接仕事とは関係のない、子供の頃の話まで持ち出すのはやめてもらえませんか？」

この方が**着実に、相手の心に届きやすくなります。**

相手からの攻撃をどうしてもガマンできないときは、感情的にならず、冷静な言葉で対処しましょう。

お互いの怒りの感情もクールダウンできるはずです。

反面教師にして自分が成長するチャンスと考える

自分を傷つけた相手に反撃するよりも、
その人を反面教師にして、明日からの自分に生かした方が
人生は明るくなります。

人のせいで不愉快な思いをすると、何かしら仕返しをしたくなるものです。

例えば、悪口をいわれた相手に、それ以上にひどい悪口を返してみたり、頼みごとをきいてくれなかった相手には、自分が頼みごとをされたときも、あからさまに断ってみたり……。

大なり小なり、そんな経験は誰にでもあることではないでしょうか？

それが原因でケンカになり、人間関係がこじれてしまったという人もいるかもしれません。

しかし、相手に仕返しをしたいという気持ちの中には、マイナスのエネルギーのなかでも、とくにパワーの大きい「怒り」や「苛立《いらだ》ち」といった感情が含まれています。

これまでも話したように、心にマイナスのエネルギーが増えると、結果的にまた、自分を傷つけるような敵やトラブルを引き寄せることになってしまうのです。

そうならないためには、不愉快にさせられた相手に対して

「この人を反面教師にして自分の幸せに生かそう」

と考えるといいでしょう。

例えば、約束をしてもドタキャンばかりする友人に困っているなら「私は人との約束をきちんと守れる人になりたい。それに気づかせてくれたあの人に感謝をしよう」と考えるのです。

他人から傷つけられたり、がっかりさせられるのはイヤな体験ですが、それを**「人間関係を学ぶ教材」**ととらえることができたら、穏やかな気持ちで日々を過ごすことができます。

凹んだ経験は、人として成長するために必要なことなのかもしれません。

「当たり前」という固定観念にとらわれない

「○○してくれて当然」という思いはエゴです。
自分の勝手なものさしで相手をジャッジすると
自ら不満を増やす原因になります。

他人のせいで落ち込んだり、イライラしやすい人には「人に対して期待しやすい」という特徴があると前章で話しました。

そういう人の心の中には、
「年下なら上に対して敬語を使い、敬意をはらうのが当たり前」
「男性なら、荷物を持ったり、女性を気遣うのが当たり前」
「部下や後輩は、自分より早く出社をして、残業をするのが当たり前」
というように「○○してくれるのが当たり前」と自分勝手なルールが作られて

います。

そのために、相手が期待どおりの言動をしてくれないと、

「当たり前のことなのに、どうしてやってくれないのか？」

と不満を感じて、自ら不愉快な思いをすることになるのです。

自分では当たり前と思うルールが、相手にとっても当たり前とは限りません。

「年下でも友人としてなら、敬語ではない方が気楽につき合える」

「男性だから、女性だからと、物事を考える時代ではない」

「お給料を多くもらう上司や先輩の方が、長い時間、会社にいて働くべき」

このように考える人だって、世の中にはいて当然です。

相手が自分とは違う考え方なら、どちらが正しいかではなく**「なるほど、こういう考え方の人もいるんだな」**と冷静に受けとめましょう。

それで何かに支障が出るなら、冷静に話し合えばいいだけの話です。

一方的にストレスを感じて、自分の心にマイナスのエネルギーを増やすのはやめましょう。

怒らないコツ 9

ネガティブな感情は紙に書いて燃やす

眠れないくらい腹が立つ……。
早く忘れたいのに、どうしても頭から離れない……。
そんなネガティブな感情や記憶は
紙に書いて燃やして、気持ちを切りかえましょう。

意地悪な友人やライバルへの憎しみ、ふと涙が出てくるような悲しみ、チャレンジに失敗した悔しさ……。

悪いことはたいてい、マイナスの連鎖で続けて起きるものです。同時期にたくさんのネガティブな感情が心に渦巻いているということも、珍しくありません。

そんなマイナスの思いをずっと胸に抱いていると、毎日は暗く苦しいものになり、不幸を引き寄せることになってしまいます。

「本当はハッピーな気分で毎日を過ごしたい」という人のために、おすすめの方法があります。

それは、**消去したい感情や記憶を紙に書き出して、それを燃やしてしまう**ということです。

具体的には、ひとりになれる場所で、燃やしてもいい紙を用意して、そこに心の中にある怒りや憎しみなどのネガティブな思いをどんどん書いていきます。

次に、安全な場所で、その紙に火をつけて燃やします。思いを書き出すだけで、そのまま書いたものを残してしまってはいけません。その言葉が「言霊《ことだま》」となって、マイナスの出来事を引き寄せてしまうからです。

ネガティブな言葉を書いた紙に火をつけたら、紙が燃えていく様子をしっかりと見つめましょう。炎に包まれて、煙になっていく紙と一緒に、**自分の心のネガティブな感情や記憶が消えていくイメージ**を持ってください。

炎が消えたとき、しつこいマイナスの思いが消えて、気持ちがスッキリとした感じがするはずです。

火が嫌いな人は、紙をハサミで切り刻む方法で試してもいいでしょう。

ストレッチやヨガで固くなった体と心をほぐす

体と心はつながっています。
心が固くなったときは、体の筋肉を伸ばすことで、
気持ちをリラックスさせましょう。
体がほぐれると、心も自然とほぐれていくのです。

いつも体が緊張して、筋肉が固くなった状態の人は、自分でも気がつかないうちに、表情から笑顔がなくなってしまいます。

試しに、全身に思いっきり力を入れた状態で、笑顔を作ってみてください。不自然な引きつった表情になるでしょう。

アメリカの実践心理学者のウィリアム・ジェームズは「楽しいから笑うのではない。笑うから楽しいのだ」といっています。

笑顔でいることとは、それだけで気持ちを明るくする効果があり、反対に、笑顔をなくした人は、ムスッとして見えるばかりでなく、次第に気持ちまで暗くなってしまうのです。

「最近、どうもイライラしやすい」

「何となく気分が沈んで元気が出ない」

そんなときは、体の筋肉が固くなっていることも要因かもしれません。

イライラしたり、凹んだときは、首をぐるぐる回したり、両腕をぐんと上に伸ばしたり、**筋肉をストレッチ**してみましょう。

そして、寝る前には、**ヨガのリラックスのポーズ**がおすすめです。仰向けに寝て、両脚を30度に開き、両手を体の横から30度離して置き、目を閉じます。

これは人間が一番リラックスできるポーズといわれています。翌朝、気持ちよく1日をスタートできるよう、習慣にしてみてください。

さまざまなストレスや疲れがたまって、いつも筋肉が固くなった状態でいると、心も固くなっていくのです。

心が悲鳴を上げそうなときは、まず、体をよくほぐしてみましょう。

相手の都合を優先して考える

人が集まると、価値観の違いから対立が起こることもあります。
そんなとき、少し相手の都合を優先してあげるだけで、
人間関係はスムーズになるものです。

会社の人間関係、友人や恋人、家族や親戚関係など、人間が数人集まると、必ずといっていいほど価値観の違いから、対立が起こりやすくなります。

そんなとき、誰かが「私が譲りましょう」という態度を見せなければ、いい合いからケンカになってしまいます。

ケンカになると、お互いの心に怒りや憎しみなどのマイナスのエネルギーが増え、溝は深まるばかりです。その後の関係にも悪い影響が出るため、いいことは何もありません。

　ある家族の話をしましょう。多忙な父親が久々に休日を取れるということで、家族全員で食事をする約束をしていました。

　母親は「お父さんが好きなイタリアンの店を予約しましょう」と提案しました。

　しかし、息子は「いや。お父さんは仕事で疲れているから、外食はやめて、家でパーティーをしよう」と反対しました。

　母親と息子はお互いに自分の主張を譲ろうとしません。それを横で聞いていた娘は「どちらがいいか、お父さんに直接、聞いてみたら？　私はどちらの提案もすてきだと思うよ」と父親の意見を優先して、ふたりをなだめました。

　娘のひとことで、家の中に充満していたマイナスのエネルギーは、プラスに切りかわりました。もし、娘がどちらかに加勢したり、フレンチがいいなどといい出したら、楽しい団らんにはならなかったかもしれません。

　自分の主張よりも、相手の都合を優先できる人は、相手を喜ばせ、その場の雰囲気も明るくすることができます。

　結果的に、むやみな対立を招いたり、自分の主張が通らないストレスを抱えることもありません。自分の心も明るく保つことができるのです。

親切にしても見返りを求めない

親切にした相手が「ありがとう」をいわなかったとしても、ムッとしたり、がっかりする必要はありません。

あなたが、人にいいことをしたという事実の方が大切なのです。


人に何かをしてあげるときに、大切なことがあります。

それは、見返りを求めないということです。

自分がよかれと思って人に親切にするとき、無意識に「私は、あの人にいいことをしてあげた」というおごりが出てしまうことは、誰にでもあるものです。

それは、誰だって、他人のために何かをしてあげるときは「ギブ&テイク」の意識を持つからです。

そのため、自分がやさしくしてあげた相手から「ありがとう」と感謝をされないと、喜ばれるはずと期待をしていたぶんだけ、がっかりしたり、損をしたような腹立たしい気持ちになってしまうのです。

例えば、家の近所で子連れのお母さんを見かけ、重そうな荷物を抱えていたので「家の前まで持ちましょうか？」と声をかけてあげたとします。

すると、そのお母さんは「はい」とだけいって荷物を渡して、黙って歩き出し、家の前まで運んであげても、お礼もなかったとしたらどうでしょう。

こんなとき、当然、感謝されるものと思っていると、「なんて失礼な人だろう。お礼くらいいえばいいのに」と不満が湧き起こり、せっかくいいことをして生まれたプラスの感情が、怒りなどのマイナスの感情に打ち消されてしまいます。

「きっと育児で疲れて、余裕がないのかもしれない」「自分が手助けしたくてやったんだからいいか」とサラリと相手の態度を受け流してしまえばいいのです。

自分のしたことに見返りを求めず、自分のやさしさを惜しみなく与えられる人は、心にプラスのエネルギーが増えていきます。

感謝されなくても、自分のしたことの素晴らしさは変わらないはずです。

「ごめんなさい」のパワーで得をする

「ごめんなさい」をきちんといえる人は、人間関係のトラブルに悩む可能性が少なくなります。素直に謝ることで、たいていの問題は解決するからです。

周りの人に好印象を与える代表的な言葉に「ごめんなさい」があります。この言葉をきちんといえるか、いえないかで、相手だけでなく、その人自身の心のエネルギーに大きな差が出てきます。

例えば、友人とケンカをしたとしましょう。どちらが悪いわけでもなく、お互いに不満をいい合っているうちに気まずいムードになってしまったとします。そんなとき、ハッと気づいて「ごめんなさい。いいすぎたね」と素直に謝ることができる人は、その場で問題

を解決できます。反対に、

「私は絶対に悪くないから、謝らない。相手が謝ってきたら、許してあげてもいいけど」と高飛車な態度を取り続ける人は、どうでしょう。

いつまでも「相手が悪い」「いつになったら謝ってくるんだろう」と、怒りや不満を抱え続け、最悪の場合は大切な友人を失うことになるかもしれません。

「負けるが勝ち」ということわざがあります。これを私は**「勝ちにこだわるよりも、自分から負けた方が幸せになれる」**という意味だととらえています。

「自分が悪者になるから」「プライドが傷つく」と素直に謝ることができない人は、自分が優位に立ちたいというだけで、結局、怒りや不安の感情で心にマイナスのエネルギーを増やして、悪い出来事を引き寄せてしまいます。

負けるが勝ちの**「ごめんなさい」のパワー**を知らないために、損をしているともいえるでしょう。

他人より優位に立とうとする人より、必要な場面で素直に、誠実に謝ることができる人の方が、心の安定を得て、人生を楽しく生きることができます。

相手の性格をよく理解する

人は自分のペースを乱されるのを嫌います。
自分のペースに合わない相手にイライラするくらいなら、
相手の性格をよく理解して
向こうのペースに合わせて動けばいいのです。

「自分の都合で相手を変えようとしない」


これはスムーズな人づき合いをするための秘訣です。

人はそれぞれ、自分のペースというものを持っています。

電話をかけた友人が留守で、メッセージを残した場合、すぐにかけ直してくる友人と、なかなかかけ直してこない友人がいます。

自分の都合を考えるならば、用事を話したいときに、すぐにかけ直してくれる人の方がいいに決まっています。

しかし、相手がゆったりとしたペースの場合、「今はちょっと忙しくて手が離せないから、明日でもいいかな」と考えて、緊急の場合を除いて、返事を明日以降に先延ばしにすることもありえます。

仕事の場合は別ですが、これはどちらが正しい、間違っているという問題ではありません。ただ、テキパキと身の回りのことをこなす人と、ゆったりと目の前のことをする人との違いが、行動に現れているだけなのです。

それなのに「何で早く電話をくれないの」と相手を責めたり、不満を感じたりしても、意味がなく誰のためにもなりません。

このケースならば、相手がのんびりとした性格なのですから、折り返しを待つよりも、自分からもう一度かけた方が、お互いにストレスがありません。

誰でも、ありのままの自分を受け入れてくれる相手といると、居心地がよくてハッピーな気持ちになります。

相手の性格をよく理解して、それに合わせてつき合っていくことは、単にストレスをなくすだけでなく、相手を幸せにする価値あることなのです。

苦手な人ほど丁寧につき合う

嫌いな人でも何らかの縁があって、自分の前にいます。
そうした相手とは、意識的に丁寧につき合うと、
マイナスの感情を最小限に抑えることができます。

ちょっとしたことで「これはどういうことだ！」と怒鳴りつけてくる上司。

「ちゃんとやってよ」と細かいことに、いちいち口出しをしてくる同僚。

「僕はその話、聞いていないよ」と平気でウソをつく知り合い。

こんな人とは、できれば一緒にいることは避けたいでしょう。

しかし、こういう人の存在を粗末にしてはいけません。

なぜなら、苦手な相手、嫌いな相手というのも、何らかの縁があって、自分の前にいるからです。

社員が数名の小さな会社に勤めるT子さんは、女性の上司との折り合いが悪く、本心では「できれば顔も見たくない」と嫌いながらも、仲良くやろうと努力をしていました。男性社員は営業で外出してしまうため、社内でふたりきりになる時間が長く、険悪な雰囲気になるのはなるべく避けたかったのです。

T子さんの苦手意識は、相手も感じ取っていたようです。話しかけてもろくに返事もなく、昼食に誘っても「ひとりで食べるから」と断られ続けていました。

それでもT子さんは、腹を立ててその上司の悪口をいったり、失礼な態度をとるようなことは絶対にしないで、丁寧につき合うことを心掛けました。

こういう相手とトラブルになれば、問題はどんどん大きくなり、自分が凹むことになるとわかっていたのです。その甲斐あって、T子さんはこの上司と、とくにトラブルもなく平穏無事な毎日を送れています。

嫌いでも苦手でも、何かしら縁があっての相手です。不必要にトラブルを起こせば、結果的に自分に返ってきます。

やさしくしたり、親切にするのに抵抗があるなら、せめて丁寧につき合うよう努めましょう。それだけでも、人間関係はずっとスムーズになります。

「まあ、いいか」といってみる

腹が立つことも、ショックなことも
「まあ、いいか」と口に出した途端に、
小さな問題に思えてくるものです。
人の心は、意外とシンプルにできているのです。

プラスの言葉に心を明るくするパワーがあることは、すでに話しました。
その言葉の力を利用して、簡単にマイナスの感情を切りかえて、凹んだ気分を軽くする方法があります。それは、

「まあ、いいか」

と言葉にしていってみることです。

ポイントは、**体の力を抜いて、深呼吸をしてからいう**ことです。

例えば、待ち合わせの相手が、約束の時間になっても現れないとしましょう。

「まったく、いつも時間通りに来ないんだから」

「私のこと、大事に思っていないのかもしれない」

多くの人はそんなふうに、イライラしたり不安になったりして、待たされている間にマイナスの感情が湧いてくるものです。

しかし、それで相手が早く来るわけでもありません。

そんなときこそ、ゆっくりと深呼吸をしてから「まあ、いいか」と口に出すのです。それだけで、不思議と心の中に渦巻いていたマイナスの感情が小さくなり、イライラやブルーな気分が消えていきます。

日常生活にはこうした、イラッとしたり凹んでしまう、ちょっとした要因が数えきれないほどあります。

自分の思い通りにいかないことがあったときは、マイナスの感情が大きくなる前に「まあ、いいか」といってみてください。

腹を立てたり、落ち込んでいるときは大きな問題に思えても、たいていのことは、この「まあ、いいか」で解決できるものです。

3章

こみあげる嫉妬を消したいとき

嫉妬しないコツ●1

人の不幸を願ってはいけない

自分の欲求や目的を果たそうとするとき、人の幸せを壊してはいけません。人の不幸を願うマイナスのエネルギーは自分の不幸を招くからです。

「幸せになりたい」と思うとき、そのために、自分ができることをどんどん実行していくと、実際に幸せになるチャンスを引き寄せます。

ただし、このとき必ず、気をつけなければいけないことがあります。

それは、**自分の幸せのために、他人に不幸を強要しない**ということです。

誰かの幸せを妨害したり、不幸を願い、それで自分が望む幸せが手に入ったとしても、その幸せは決して長続きしません。

なぜなら、他人の不幸は、その不幸を仕向け、願ったあなたにも、強いマイナスのエネルギーを与えるからです。

例えば、自分が好きな彼を狙っているライバルが現れたとします。積極的なアプローチを受け、彼も悪い気はしていないとします。

「なんて邪魔な存在。休日にふたりきりで会ったりしないよう妨害しなきゃ」

そんなふうに、ネガティブな感情を燃え上がらせ、マイナスのエネルギーに満ちた心で、ハッピーな恋愛ができるはずもありません。

「服もおしゃれだしモテそう。まずい、私ももっと自分を磨かなきゃ！」

そんなふうに、小さな嫉妬はしても、ライバルの存在も**自分を高めるチャンス**に変えられれば、心にはプラスのエネルギーが増えていきます。

嫉妬やヤキモチは、ネガティブな感情のなかでも、とくに強力なパワーを持っています。ネガティブな感情を誰かに向ければ、自分の心にも強いマイナスのエネルギーが増え、自分が苦しむ要因を増やすだけです。

真の幸せは、プラスのエネルギーにしか引き寄せられません。嫉妬の炎が燃えたときこそ、自分の心にプラスのエネルギーを増やす方法を考えましょう。

他人の才能より「私の才能」を見つける

人をうらやましいと思うとき、
あなたもまた、誰かにうらやましいと思われています。
「どこが？ そんなはずない」と思うなら、
人よりもまず、自分の才能や魅力に注目しましょう。

人に笑いかけると、相手も笑顔になります。

人にやさしくすれば、自分もまた人にやさしくしてもらえます。

この「与えれば、与えられる」という法則には、理由などありません。

宇宙の真理のようなもので、実際にこの法則にあてはまることは、身の回りにたくさん起こっているはずです。

この法則に従って考えれば

「あの人は仕事ができてうらやましい」「合コンでもモテモテで妬《ねた》ましい」

そんなふうに思うとき、あなたもまた誰かに「あなたの持っている何か」をうらやましがられているのです。

顔や性格が十人十色なように、人が持っている資質もそれぞれです。自分ではとるに足らないと思うことが、他人から見れば、その人にはないもので「うらやましい」と思われている可能性は大いにあるのです。

人をうらやましいと思い、自分には何もない気がするのは思い込みです。

そうしたネガティブな感情が心を占めていたり、凹んで自分に自信が持てないときは、自分の才能や魅力に気づくことができないからです。

そんなときは、**人からほめられること**を紙に書き出したり、覚えがないなら、親しい人に「私の才能って何だと思いますか」と聞いてみましょう。

子供の頃に得意だったこと、あるいは**大好きなこと**も、自分の才能や魅力を探るヒントになります。

何か人より劣っていることがあっても「よし、自分は自分の才能を磨いて耀《かがや》こう」と思えば、人をうらやましいと思う気持ちもすっと消えていきます。

「80点主義」になる

人ばかりがよく見えて、自分を不運だと思う人は何を手に入れても、満足することができません。人の人生に「100点満点」なんてないのです。


「学生時代の友人は皆、給料が30万円以上なのに、自分は20万円しかない」

「あの人は青年実業家と結婚できたのに、自分は普通のサラリーマンとしか結婚できなかった」

こういった人は、たとえ昇給をしても、結婚相手が実業家になっても、喜びは一瞬で終わり、またすぐに、人をうらやましく思ってしまいます。

人をうらやんだり、妬むという感情は、心の中にある、自分に対する不平不満から大きくなっていきます。

とくに理想や目標が高く、常に「100点を目指す」というタイプの人は、気をつけなければいけません。

そういう人は、他人から優秀といわれたり、むしろ、人からうらやましいと思われることもよくあるかもしれません。

でも「80点」では満足できないため、「なぜ、あと20点が取れないのか」と自分への不満を強くするのです。

80点で満足するような人は、それ以上、上に行けないと思うかもしれませんが、大事なことは**「足りない20点より、80点に注目する」**ということです。

不平不満はいうまでもなく、心にマイナスのエネルギーを増やす感情です。

80点取れれば十分と考える人より、足りない20点に不満を抱く人は、人生の中で、自分を苦しめることが多くなってしまいます。

理想や目標が高いことは、何も悪いことではありません。

ただし、100点が取れなくても、**80点で満足する**ようにしましょう。

すると、自分がすでに恵まれ、多くのものを持っていることにも気づきます。

同じことでも心の持ち方で、大きな満足にも、大きな不満にもなるのです。

人の悪口はいわない、聞かない

どんなに妬ましい人がいても
その人の悪口、陰口をいってはいけません。
悪口が大好きな人たちを引き寄せて
自分のツキを落とすばかりです。

うらやましい、妬ましいといったネガティブな感情は、悪口をいう機会を増やしてしまいます。

これまでも話したように、マイナスの言葉は、心にマイナスのエネルギーを増やして、同時にマイナスのエネルギーを持つ人や物事を引き寄せてしまいます。

「あの人はモテるけど、裏表がありすぎる。この間なんてね……」
「ちょっと仕事がデキたって、恋人もいない人生なんて気の毒よね」

その人から何か迷惑を掛けられたわけでもないのに、そんなふうに中傷をすれば、相手に恨まれたり、自分も傷つけられます。マイナスの言葉は、ネガティブな感情のエネルギーになり、余計に嫉妬もふくらむでしょう。

そして、やっかいなことに、悪口は悪口を好きな人を引き寄せます。心にマイナスのエネルギーを持つ人の集合体になれば、そのマイナスの言葉が放つパワーも、いっそう強力になります。

思いきり悪口や陰口をいい合うと、興奮状態になって、直後はスッキリとしたような気持ちがするかもしれませんが、それは一瞬のことです。

ふと冷静になれば「あんなことをいわなければよかった」「好きな人には絶対に聞かせられない」など、悪口をいった自分を責めて凹むことにもなるでしょう。

対処法はひとつです。**悪口はいわない、聞かないと心に決める**ことです。

つい、いってしまったら、その場ですぐ「なんてね。本当はそんなこと思っていません！」と口に出して打ち消しましょう。

集団で悪口が加熱し始めたら、トイレに立つふりをして中座しましょう。悪口のマイナスのエネルギーは、自分の幸せを遠ざけるだけです。

嫉妬のプラスの活用法を覚える

どうしても自分では嫉妬の感情を消すことができないなら
その対象の人を冷静に観察してみましょう。
そして「真似」をしてみてください。
それは自分を高める行動につながります。

「嫉妬なんて本当はしたくない。自分がみじめに感じる……」

そう思いながらも、自分が一番欲しいものを相手が手に入れている、あるいはとてもモテる人が身近にいるなど、自分では嫉妬の気持ちをコントロールできないこともあります。

そんなときに、試してみて欲しいことがあります。

それは**「その人に近づくようにする」**ということです。

まず、ひとりの人間としてその人をよく観察してみます。

その人がなぜ、自分を嫉妬させている幸運を手に入れたのか、うらやましがられる存在なのかを研究して分析するのです。それを紙に書き出してみましょう。

リサーチができたら、それを**真似する**のです。

何も考えず、どんどん真似をして、その人のようにふるまってみましょう。


人がうらやむものを持っている人には、必ずその要因があります。

成功をした人はそれだけの努力をしていたり、愛される人にはそれだけの魅力があります。ラッキーに恵まれる人には、何気ないふるまいや習慣などに、それを引き寄せたプラスの要因があるはずです。

すべてその人の真似をできなくても「なるほど」と思うことが、きっとあるでしょう。すると、嫉妬の炎が小さくなり、やがて消えていきます。

そして、何かしら**自分自身がレベルアップしている**と気づくでしょう。

嫉妬のエネルギーは強力です。そのパワーを相手にぶつけるよりも、真似をすることで自分に生かしましょう。嫉妬を上手に活用するのです。

自分が大好きなことを探る

人の幸せをうらやむほど、そう思っている自分をみじめで嫌いになるという悪循環が生まれます。
そこから脱け出すきっかけは
自分が「大好きなこと」に隠されています。

成功や幸せを手に入れた人に嫉妬してしまうのは、自分にとっての幸せがわかっていないからとも考えられます。

やみくもに幸せになりたいと願う人は、幸せな人が一様にうらやましく思えたり、自分が本当に幸せになるチャンスにも鈍感になってしまうのです。

どんなに人をうらやんでも、それで自分は幸せにはなれません。

心にマイナスのエネルギーをためて、幸せを遠ざけるだけです。

それよりも、自分にとっての幸せを追求してみましょう。

そのためには、自分が**「大好きなこと」**をたくさん見つけてください。

「大好きなこと」とは、自分が熱中できることです。それをやっていると、時間も忘れるほど、夢中になれることです。

すぐに思い浮かばない人は、子供の頃にどんなことに夢中だったか、一番楽しかったかを思い出してみてください。

「絵を描くことが大好きだった」「作文を書くことが大好きだった」「宝探しが大好きだった」「機械いじりが大好きだった」

家族に聞いてみると、忘れていたことを思い出すかもしれません。

子供の頃は、純粋に好きなことにしか、夢中になりません。

そして、夢中になることとは、じつは**「自分が得意なこと」**なのです。

それを仕事や趣味、ライフスタイルにどんどん生かしてみてください。

自分の本領が発揮できると、人は充実感や幸せを感じられます。自分の自信にもつながるでしょう。自分を幸せにする人や物事との出会いも増えるはずです。

大好きなことをするほど、嫉妬は消えていきます。

人から感謝される体験をする

考え方が自分本位になっていませんか？
人を思いやり、喜ばせることを考えると
自然とネガティブな感情が消えていきます。

考え方が自己中心的になっているとき、人は嫉妬や怒り、恨みなど、強いネガティブな感情にとらわれやすくなります。

「自分だけが不幸だ」「自分ばっかりソンをしている」「あの人のせいで、自分がひどい目にあっている」

いつも自分のことで頭がいっぱいの人は、自分を傷つける人や出来事には敏感に反応して、激しいネガティブな感情を抱いてしまうのです。

もしも、嫉妬や怒りで、自分の感情をコントロールできなくなったら、**意識を**

「自分」から「他人」へとシフトさせましょう。

効果的なのは「人を喜ばせること」について考え、実行してみることです。人を喜ばせて感謝をされると、心が満たされた幸せな気持ちになります。

率先して人のお手伝いをしましょう。人をほめたり、励ますだけでもいいのです。小さなことからやってみてください。

そうして、人から感謝されるという体験をくり返すうちに、自然と、他人に意識を向けるようになります。

「何をしたら喜ばれるだろう」と人を思いやるようになり、いつしか自分の悩んでいたことすら考えなくなってきます。

もし、わかっていてもできないと思うなら、ボランティア活動に参加してみるのもいいでしょう。人から感謝される体験を強制的に自分にさせるのです。

人を喜ばせることを2週間実践すると、うつ病の患者も治るといわれます。それほど、人からの笑顔と感謝は、心に大きなプラスのエネルギーを増やすのです。

心にネガティブな感情が湧いたら、人を喜ばせてください。

それだけで心がラクになります。

自慢話をしない

人をうらやむ人もいれば、うらやましいと思わせたがる人もいます。どちらも心の底にある「劣等感」がそうさせるのです。


自慢話が多い人は、周囲をうんざりさせます。

何かにつけ、自分の学歴や会社名をひけらかす男性。女性なら、容姿のことを鼻に掛けたり、彼に買ってもらったブランド品を見せびらかすといったことも、よくあるパターンかもしれません。

人から「すごい」「うらやましい」「えらい」と思われる、重要な存在でありたいという気持ちを**「自己重要感」**といいます。

自慢話は、無意識に相手を見下すことで、自分の価値を上げて、自己重要感を満たそうとするものです。

この自己重要感が強くなると、反動で、事実と逆のことを自慢します。

モテないのに、さも自分はモテるようなことをいったり、太っている人は「また、少しやせた」といってみたり、自慢話で見栄《みえ》を張ることで、自尊心を満たすのです。

つまり、自分に自信がなく、劣等感が強い人ほど、無意識に自慢話をしたがると考えられます。

そして、自己評価が低いため、代わりに人から評価されることで、プライドを保っているのです。

こうした人は自分に自信がないため、何でもない顔をしながら、心の中で自分より優位な人をうらやんでいるかもしれません。

もしも、自分は自慢話が多いと思うなら、これからは意識をして自慢話は慎みましょう。それは劣等感から出るマイナスの言葉だからです。

そして、いくら人に「すごい」といわせても、その劣等感は残ります。

自信のなさと向き合って、**ありのままの自分**を認めることが大切です。

ライバルの長所をほめる

お互いの足を引っ張り合うような
犬猿の仲といったライバルが日常にいると
ネガティブな感情の炎は消えることがありません。
自分から歩み寄って、平安な日常を取り戻しましょう。

「ことあるごとにぶつかり、互いに一歩も譲らない」

競いあうことでお互いを高められるのがいいライバル関係ですが、隙あらば陥れようと、ネガティブな感情の炎を燃やし合うライバルが職場や身近な場所にいるなら、それは不幸以外の何ものでもありません。

あなたがどんなにプラスのエネルギーを増やして幸せを目指しても、マイナスのエネルギーが心から消えることはないからです。

相性が悪い者どうしというのは、お互いに
「自分が常に上にいないと気が済まない」

「相手に自分の方が優れているとわからせたい」

という気持ちがあります。

どちらかが認めない限り、張り合い続けるのが目に見えているなら、さっさと自分から歩み寄って、相手の欲求を満たしてあげればいいのです。

方法は簡単です。

ただ、**「相手の長所」を口に出してほめる**だけでいいのです。

「前から思っていたけど、書類作るの上手だよね。どうやればいいの？」

「髪がきれいだけど、どこのシャンプーを使っているの？」

そんなささいなことを毎日ひとこと、ほめてあげればいいのです。

初めは相手も疑いの目を向けたり、ろくに答えてくれないかもしれません。

それでも腹を立てたりせず、これまでのことを思えば当たり前と考えましょう。

負けたような気がするかもしれませんが、そんなことはありません。

ほめ言葉は、口に出したあなたの心をプラスのエネルギーで満たしてくれます。

まずトラブルの「状況」を分析する

「やられたら、やり返さないと気が済まない」

それでは、ネガティブな感情はヒートアップするばかりです。

やり返す前に状況を知ることで、クールダウンしましょう。


例えば、社内恋愛の彼が、新入社員の女性と浮気をしたとします。

彼は謝ってくれましたが、彼女は浮気相手に対する嫉妬と怒りで気が治まらず、浮気相手の新人を職場で平手打ちしてしまった場合です。

後日、どうなるでしょう？　彼女は社内での評判も悪くし、彼に恥をかかせたと、結局、別れを告げられたかもしれません。暴力で浮気相手から慰謝料を請求される可能性だってあります。

嫉妬のなかでも、恋愛に関する嫉妬は、とくにネガティブなパワーが強力といえるかもしれません。

彼女の気持ちもわからないではありませんが、他人に傷つけられて、カッとなった勢いで感情的な行動に走るのは、事を荒立てるだけです。本人が冷静さを失っているため、後悔を招くことが多くなります。

そんなとき、グッとこらえて、**まず「状況」を知ること**が大事です。

その日、どんな経緯でそうなったのか。彼はなぜ、そうしてしまったのか。新人の彼女はどんな人物で、どこに彼はひかれたのか……。

冷静に経緯や理由を把握すると、隠れた部分も見えてきます。

もしかしたら、仕方がないと思える事情もあるのかもしれません。場合によっては、許すこともできるはずです。

これは浮気に限らず、誰かのせいで不愉快な思いをしたときに、一気に燃え上がったネガティブな感情をいったん治めるために有効です。

とくに感情だけで突っ走りやすい人は、やられたらやり返すより、まず状況を知るようにしましょう。

冷静になることで、マイナスのエネルギーも最小限になります。

大切な人を信じる心を持つ

ネガティブな感情に負けて
大切な人を裏切ってはいけません。
守りたかった幸せを失うことにもつながります。

恋愛の嫉妬は、ライバルや浮気相手だけではなく、愛する人にも向けられます。

例えば、相手の携帯電話をこっそり見ることです。

とくに女性は一度や二度、経験があるという人が多いようです。

「彼のすべてが知りたいから」

「浮気をしていないか心配でたまらないから」

彼女にとっては仕方がない正当な理由でも、冷静に考えれば、それは彼と妄想の浮気相手への嫉妬でしかありません。

人は恋愛関係のような親しい間柄になると、多少の失礼やぞんざいな態度も、許されるという甘えが生まれます。

とくに恋は盲目といった状態では、自分の思いにばかりとらわれて、相手が好きゆえの行動だから仕方がないと、自分本位な考え方になりがちです。

他人の携帯電話なら盗み見などしないのに、彼のものなら、いいことになってしまうのです。

人の物をこっそり盗み見するのは裏切り行為です。

彼が知れば、怒るに決まっているのに、そのリスクを冒してまで盗み見ないと気が済まないのは、嫉妬のパワーのなせるワザでしょう。

ずっといい関係を保ちたいと思うなら、**恋人には他人以上に、誠実に接することが大切です。**

相手を心から信じなければ、相手にもまた信じてもらえません。

自分の思いばかりで突っ走ると、守りたかった幸せに自らヒビを入れることにもなりかねないのです。

自分の幸せとしっかり向き合う

嫉妬をはじめ、ネガティブな感情の多くは人と自分を比べることで生まれます。「自分の幸せ」に焦点を合わせましょう。

多くの人は、人と自分を比べて、人より優位か劣るかで、自分の価値や幸せをはかろうとします。

しかし、人間の価値や求める幸せは、人それぞれです。

そもそも、その人自身にしかわからないことを、他人と比べても意味がありません。

そのことに気づくと、ネガティブな感情にふり回されることも、ずいぶんと少なくなるはずです。

例えば、国民総幸福度で注目を浴びているブータンは、国民の97％が幸せを感じているといわれます。

多くの国と比べれば、経済的には裕福な国とはいえません。

それでも、毎日幸せを感じながら、多くの国民が歌って踊って、笑いながら暮らしていられるのには、理由のひとつに、国民に他国と自国を比べる意識があまりないからではないでしょうか。

情報があまり入ってこないこともあるでしょうが、ブータンの人々のように、自分たちにとっての幸せを知り、感謝をして暮らせば、お金や多くの物を持たなくても、人は幸せを感じることができるのです。

反対に、お金や多くの物を手に入れても、必ずしも幸せとは限りません。

企業の経営者などは、お金はあっても気苦労は絶えません。また、お金のことでトラブルが多いなど、お金持ちゆえの不幸というのは必ずつきまといます。

人と自分を比べないようになるには、**自分の幸せに注目すること**です。

自分はこれでいい、と思えることが増えれば、マイナスよりプラスの感情が自然と増えやすくなります。

人と比べるときは「下」を見ることも必要

人をうらやましいと思いがちなのが「お金」のことです。
どうしても人と自分を比べてしまうなら上ではなく下を見て考えてみてください。

「同じ歳で、あの人は月30万円収入があるのに、私は20万円しかない。どう考えても自分の方が貧乏で不幸だ……」

他人と比べて、経済的に恵まれていないと感じる人は少なくないように思います。

このようにお金のことで人をうらやむ感情は、嫉妬というよりも、劣等感のケースが多いようです。

そして、友人のAよりは給料が多いのに、友人のBより給料が少ないと、無意識に友人のBとの比較に注目してしまい、大なり小なり不幸を感じてしまうのです。

つまり**「上を見たらキリがない」**ということです。

わかっていても、つい比べてしまうものですが、上を見て劣等感を持ち続ける限り、お金のことで幸福を感じる機会は少なくなってしまいます。

経済的なことでネガティブな感情が強くなりやすい人は、こんな習慣をつけるといいでしょう。

「人と比べるときは下を見る」ということです。

上ばかり見ないで、下を見て、自分がいかに恵まれているかを実感することが、お金の劣等感を小さくする秘訣です。

お金に劣等感やマイナス思考を持つと、お金の苦労を引き寄せやすくなります。

常に自分はお金に恵まれて裕福だと考えれば、自然とお金も引き寄せられるものです。

自分がすでに恵まれていることに気づく

人より自分は恵まれていないと思っている人は深刻な悩みを抱えていない証拠です。

この事実に気づくだけでも、今ある悩みは小さくなります。


「彼女はいつも、ブランドの最新のバッグを持っている」

「私のボーナスは学生時代の友人のなかで一番少なかった」

こういった、人から見ればただの不平不満で、自分は恵まれていないといつも嘆いている人がいます。

自分と他人を比べて、ささいなことで凹んで劣等感を強くしていては、心のマイナスのエネルギーが増えていく一方です。

劣等感というマイナスの感情をリセットするには、自分が今、どんなに恵まれた状況にあるかに気づき、そのことに感謝をする習慣を持つことが有効です。

例えば、世界を見渡せば、戦争や貧困といった死ぬか生きるかという過酷な状況に常にさらされている人もいます。そうした人は、生きているだけで恵まれているという、切実な毎日を生きています。小さなことで悩んでいるひまなど、もちろんありません。

逆にいえば、小さなことで悩んでいる人は、大きなことで悩む必要がないともいえるでしょう。

ブランドものでなくても、バッグや靴が買えるのは、食べるのにさえ困っている人から見れば、信じられない贅沢《ぜいたく》なことです。

ボーナスがもらえるなんて、仕事がない人から見たら、うらやましいはずです。

「仕事がある、寝るところがある、食べるものがある、家族がいる」

このように自分が恵まれていることに気づくと、人をうらやむ気持ちが小さくなります。さらに、その状況に感謝できるようになると、心にはどんどんプラスのエネルギーが増えていきます。

デスクを片づけて水拭きをする

人の心の状態は、その人が過ごす空間とつながっています。嫉妬や劣等感といったネガティブな感情が心に渦巻いているときは、仕事や勉強にとりかかる前に、デスクの上を水拭きしましょう。不思議なことに心までスッキリしてきます。

汚れた水がいっぱいに入ったバケツに、新しく水を入れ続けても、その水が完全にきれいになるまでには、かなり時間がかかってしまいます。

バケツの中の水をきれいにしたいのなら、一度、バケツに入っている汚れた水をザーッと捨ててしまい、それからキレイな水を入れた方がよいでしょう。

私たちの心もそれと同じです。

心の中にマイナスのエネルギーをいっぱいにため込んでしまったら、プラスのエネルギーを増やす前に、まずマイナスの感情を捨ててしまいましょう。

そこに、改めてプラスの感情を入れれば、どんどん効率よく増えていきます。

ひとつの方法として、身の回りにある不用品を処分することが効果的ですが、忙しくて時間を作れないという人は、まず、いつも使っているデスクの上を片づけて、使わないものはすべて処分するところから始めてみてください。

そして、物が片づいたら、次にデスクの上を丁寧に水拭きしましょう。

きれいにすすいである雑巾を使って、隅々まで拭いてください。

心が荒れていると、デスクの上も書類などが散乱して、雑然となっていることも考えられます。面倒でやる気が起きないかもしれませんが、デスクの上だけですから、部屋中を片づけるよりは、ずっと気軽にできるでしょう。

いざ、片づけて水拭きをしてみると、それだけで**気分が爽快になっている自分に気づく**でしょう。

デスクの上と同時に、心の中の散乱物や汚れもクリアになるからです。

そのまま仕事や勉強にとりかかれば、スッキリとした空間と心で、仕事や勉強も効率アップすると思います。

4章

自己嫌悪のサイクルから脱出したいとき

落ち込んでいる自分を責めない

落ち込んでいる自分をいくら責めても、立ち直ることはできません。

いいことがひとつもないばかりか、苦しみは深まるばかりです。


自分のダメな部分に目がいきやすく、ちょっとしたことで、

「なんて自分はダメな人間なんだろう」

「自分はいつも失敗してばかりで無能だ」

などと、自分の性格やそのときとった行動を責めてしまう人がいます。

自分を責めるという行為は、落ち込んだ状態から立ち直るためには、逆効果でしかありません。

思い通りにいかないことがあり、凹んでいる状態というのは、心がケガをして

いるのと同じです。

ケガをしたときに、まず必要なのは応急手当てです。

例えば、ひざにすり傷が出来てしまったとしたら、傷口を水で洗い流し、乾燥を防ぐためにバンソウコウを貼り、たくさん血が出ていたら、病院で診察をしてもらうでしょう。なぜなら、それ以上、悪化してしまうとバイ菌が侵入したり、治るまでに時間がかかってしまうからです。

これを落ち込んでいる心の状態に置きかえると、どうでしょう。

落ち込んだときに自分を責めるのは、もう十分に傷ついているのに、追い打ちをかけるように傷を悪化させてしまう行為といえます。

自分を責めるたびに、気分はどんどん暗くなっていきます。そんなことをしても、何ひとつ悩みは解決しません。

落ち込んだときに大切なのは、自分を責めないことです。

それよりも「今日は大変だったね」「こんな日は早く休んで明日に備えよう」と**ケガをした自分の心をやさしくケアをしてあげること**を心掛けましょう。

応急処置が早く、丁寧なほど、心のケガは早く回復します。

落ち込んでいるときの自己評価は気にしない

人は心の状態によって、物事のとらえ方が変化します。
落ち込んでいるときは、
自分の悪いところにばかり目がいきがちですが、
それは決して、真実ではありません。

人は「自分のことは自分が一番よく知っている」と思いがちです。

しかし、実際にそうなのかというと違います。じつは、自分を正しく評価するというのは、とても難しいことなのです。

自分を「ダメな人間だ」と思い込んでいる人も、他人から見れば、ちっともそうではないということはよくあります。

とくに注意したいのが、落ち込んだときの自己評価です。

たいていの場合、人は心がプラスのエネルギーに満ちているときは、自分への評価が高くなります。反対に、心がマイナスのエネルギーに満ちているときは、自分への評価が低くなりがちなのです。

例えば、普段は「自分は誰とでも仲良くなれることが長所で素晴らしい」と思っている人がいたとします。

その人は、いつも自分を肯定的に受けとめているかというとそうではなく、落ち込んでいるときは「私は八方美人で、誰にでもいい顔をしてしまう。人目を気にしてばかりいるイヤな人間だ」などと考えてしまうのです。

つまり、同じことも、落ち込んでいるときは悪いとらえ方をして自己嫌悪になりやすく、マイナス思考になっているだけで、正当な評価ではないのです。

落ち込んで「自分には人に誇れる長所がない」「幸せになれるはずがない」などと思ってしまうときは**「今は落ち込んでいるから、自己評価が低くなっているだけ」**と自分自身にいい聞かせましょう。

そして、サッサと寝てしまうことです。そうすれば、マイナスの自己評価にふり回されることなく、気持ちを早く切りかえることができます。

自分をほどほどに甘やかす

気分が沈んだときは、ダメな自分をけなしたくなるものです。
しかし、自分にはほどほどに甘いくらいの方が、
心にはプラスのエネルギーがたまりやすくなります。

自分に厳しすぎる人というのは、いったん凹んでしまうと、なかなか立ち直ることができません。

そういう人は、落ち込むとつい、自分自身を厳しく叱ってしまい、心にどんどんマイナスのエネルギーを増やしてしまうからです。

「自分は何をやっても、うまくいかない」

「私って、バカなうえにドジで、取り柄がひとつもない」

自分を否定するような言葉をいっても、いいことなどひとつもありません。

もちろん、落ち込んだ原因が自分にあるならば、反省したり、状況をよくするために、自分の言動をふり返ることは大切です。

でも、ただ自分を責めるだけでは、精神衛生上よくありません。

いつも自分を責めていると、次第に「こんな自分はきっと成功しない」「幸せになれない」という思い込みが生まれ、自分で自分を不幸にしてしまいます。

人は皆、完璧ではありません。失敗することも、間違えることもあります。

自分に厳しい人も、**落ち込んだときくらいは、ほどほどに自分に甘くすること**も必要です。こういうと「自分のことを甘やかすと、ダメな人間になるのでは？」と思う人もいるかもしれませんが、それは間違いです。

凹まない人ほど、**自分自身を励ますのが上手**です。

「少し失敗してしまったけど、次はきっと成功する」

「私はドジなところもあるけど、他にもいいところがたくさんある」

そんなふうに、普段から自分にやさしく、励ます習慣のある人の方が、心にプラスのエネルギーがたまりやすく、マイナスの感情の切りかえも早いのです。

落ち込んだときは、自分を励ましましょう。立ち直りがぐんと早くなります。

「落ち込んでもOK」と自分を認めてあげる

「心が凹んでも、自分の価値まで下がるわけではない」
そう気づくと、落ち込んだときに
自分がイヤになったり、卑屈になることを防げます。

ありのまま、そのままの自分自身を認めてあげる行為のことを心理学では**「自己承認」**といいます。

ラッキーな出来事があったときに「私って運がいい」と思うことは誰にでもできることです。ところが、イヤなことが起きたときは、そうもいきません。

この「自己承認」ができていない人は「どうせ、自分は運が悪い」と嘆いたり、「すぐに凹んでしまう自分がイヤ」と自己嫌悪を感じたりして、イヤなことが起きるたびに、心の中にマイナスのエネルギーを増やしてしまいます。

一方、「自己承認」ができる人は「イヤなことがあったんだから、今は落ち込んだっていい」と楽観的に考えます。そして「たまにはイヤなこともあるけど、あまり気にしないようにしよう」と気持ちをサッと切りかえることができます。

このように「自己承認」ができる人とそうでない人とでは、**落ち込んでしまったときの受けとめ方**に大きな差が出ます。

いうまでもなく「自己承認」ができる人の方が、人生を楽しく生きることができます。

幼い頃から、両親や身近な大人に厳しく育てられてきた人は「完璧ではない自分」を受け入れられず、自己承認が苦手という人が多いようです。

しかし、子供の頃に要因があっても、今からだって、自分を変えるのに遅すぎるということはありません。

「自己承認」はいいかえれば、**自分を大切にすること**でもあります。

落ち込んでいるときは「落ち込んでいる自分もＯＫだよ」と自分自身に声をかけてあげましょう。

そこから、自分をありのまま認めて、好きになることが始まります。

他人の評価で自分の価値をはからない

自分に自信がない人は、
他人の評価を必要以上に気にする傾向があります。
他人の目で自分の価値をはかっている限り、
心がプラスのエネルギーで満たされることはありません。

他人の評価を気にしすぎてしまう人は、他人からほめられることでしか、自分自身の価値を感じることができません。

そのため、会社や周囲の人が自分を評価してくれないと、深く落ち込むことにつながります。

また、そういう人は、自分自身が楽しいとかうれしいと感じることよりも、他人からほめてもらえることを優先しがちです。自分の本心をいつも押し殺し、無意識のうちに、心にマイナスのエネルギーをためてしまうこともあるようです。

しかし、「他人から認められないと、自分には価値がない」という考え方をしている限り、心にプラスのエネルギーは増えていきません。

なぜなら、**他人の評価は変わりやすい**からです。そして、他人から評価されたとしても、自分の好きなこと、やりたいことをする欲求が満たされないため、大きな満足感が得られないのです。

他人の目を気にしすぎてしまう人が、自分に自信を持つためには、何かひとつでも**「本当に自分がやりたいこと」**を始めて、それに打ち込むことが効果的です。

「私はこれがやりたかった！」「やっぱりこれをしていると楽しい！」

生活のなかでそんな時間を増やしていくと、自分の心が喜び、プラスのエネルギーが増えていきます。

それと同時に「私は自分らしく生きていいんだ」という自信が芽ばえ、だんだんと他人の目が気にならなくなってきます。

もっと、自分の心に正直に生きましょう。

たった一度のこの人生は、自分が幸せになるためにあるのです。

「セルフイメージ」を書きかえる

他人からほめられてもうれしくないという人は、本来の自分の価値を知らない人です。

あなたにはほめられる価値があります。

ほめられたら「ありがとう」と受け入れましょう。


人からほめられるのが苦手という人がいます。

「あなたはやさしい人だね」といわれても、「本当は怖い性格なんだから。あなたが知らないだけだよ」などと必要以上に謙遜したり、「何か下心があるんじゃないの?」と素直に受け取れません。

こういった人は、自分に自信のない状態が長く続いているのでしょう。

自分に自信のある人は、他人からほめられるとうれしいものです。

ほめられても素直に喜べないのは「自分なんて人にほめられる価値のない人間だ」という気持ちが心のどこかにあるからです。

これには、心理学でいう**「セルフイメージ」**が関係しています。「セルフイメージ」とは「自分が感じている自分の姿」という意味です。

人からほめられたとき、素直に「ありがとう」「うれしい」といえる人は、プラスのセルフイメージを持っていて、必要以上に卑屈になる人は、マイナスのセルフイメージを持っているといえるでしょう。

このマイナスのセルフイメージを持っている人は、親から厳しく育てられたり、過去の失敗を忘れられない、といった人が多いようです。

ここでぜひ、知ってほしいのは、この**セルフイメージは、いつでも書きかえることが可能**ということです。

今は自分に自信がなくても「人にやさしくできる自分が好き」「私は幸せになれる存在だ」という具合に、紙に書いたり、実際に口に出したり、くり返し自分にいいメッセージを送ることで、セルフイメージをマイナスからプラスに変えていくことができます。すると、自己嫌悪から凹むことも少なくなるのです。

自分の魅力を知る

どんな人も「自分がなりたい自分」に変わることができるのです。
ずっと落ち込んでいるくらいなら、
理想の自分に近づくために今、何ができるかを考えましょう。

「自分のいいところがわからない」という人に、試して欲しいことがあります。

簡単なことなので、今すぐにやってみてください。

まず、**自分のなりたい理想の人間像**を頭の中でイメージします。

次に、自分がその人になりきっていると想像します。今の自分がその理想の人にはほど遠くても、そんなことは気にしなくてかまいません。

それができたら、次に、誰かから「あなたの魅力はどこだと思いますか?」と聞かれているシーンをイメージしてください。

あなたは理想の人になりきっていますから、きっとたくさんの魅力であふれているはずです。それをひとつひとつ、考えてみてください。

「やさしいところです」

「まじめで約束をきちんと守るところです」

そんなふうに、いろいろな答えが出てくるでしょう。

じつは、**その答えこそ、あなた自身が持っている魅力**です。

なぜなら、自分の理想とする人間像を考えるとき、人は無意識のうちに、自分自身の姿と重ね合わせるものだからです。

つまり、自分は変えられないと勝手に決めつけている人も多いのですが、人は誰でも、「自分の理想とする姿」になることができるのです。

「いつもニコニコとしていて、人にやさしくできる自分になりたい」

「バリバリと仕事をして、会社のなかで一目置かれる存在になりたい」

そんなふうに、はっきりと自分で目標を設定した人は、その瞬間から変わっていくことができます。

成長することを誓った人にとって、明日の自分は今日と同じではないのです。

自分のコンプレックスを知っておく

心が凹むこととコンプレックスには深い関係があります。
自分のコンプレックスを自覚することで、
落ち込んだ気分を最小限にとどめることができます。

誰しも、自分に対して何らかのコンプレックスを持っています。

しかし「自分はどの部分にコンプレックスを感じているのか」ということをはっきりと自覚している人は、意外と少ないようです。

なぜなら、自分のコンプレックスとしっかり向き合おうとすると、ネガティブな気持ちになるからです。「自分のことがなんとなくイヤ」と思うだけで、その真相については、見ないふりをするのです。

しかし、凹みにくい自分になるためには、**そのコンプレックスと向き合って、**

自覚していた方がいいのです。

例えば「身長が高くない」ことをなんとなくコンプレックスに感じているなら、「私は身長が低いけど、全然気にしていない」なんて無理に思わないで、そういう自分をありのままに受け入れるのです。

すると「身長は何センチ？」と聞かれたときに「じつは152センチしかありません。背が高い人に憧れてヒールのある靴を履いているので、本当の身長をいうと驚かれることがあるんですよ」と答えられる冷静さを持つことができるようになります。

反対に、自分のコンプレックスを見ないようにしていると「身長は？」と聞かれたときも「チビなので恥ずかしくていえません」と必要以上に卑屈になったり「どうして身長のことなんて聞くんですか？　今の話題に関係ないでしょう？」などと、相手に対してカッとなって反発したくなってしまうのです。

凹みやすい人はもしかすると、コンプレックスが多いのかもしれません。

事前に自分のコンプレックスがどこにあるのかを自覚しておくと、それが原因で落ち込む機会を減らすことができるでしょう。

遠くのゴールよりプロセスに注目する

結果がすべてだと考えると、うまくいかなかったときの落ち込みが激しくなります。結果に向かう途中にある、楽しいことや面白いことにも大きな価値があることを知りましょう。

求める結果が大きければ大きいほど、ダメだったときに、その人を苦しめることになるものです。

「こんなに頑張ったのに、試験に不合格だった。最悪……」

「ダイエットで10キロ痩せるのが目標だったのに、結局、少ししか痩せられなかった。やっぱり私はずっと太ったままなんだ」

そんなふうに、落ち込んでしまい、それをきっかけに自己嫌悪に陥ったり、チャレンジすることが怖くなってしまったりする人もいます。

そんな人に伝えたいのは、**「夢や目標に向かうときは、ゴールだけではなく、途中も楽しみましょう」**ということです。

知識が増えることを楽しもうと考えれば、試験に不合格だったとしても、「でも、夢中で学ぶことで、自分がレベルアップできたから挑戦してよかった」

ダイエットのために運動することを楽しもうと考えれば、「でも、久しぶりに体を動かしてストレスを発散できたし、スポーツクラブで友人もできたから、挑戦してよかった」

そんなふうに考えることができるはずです。

何かに向かって頑張っているなら、遠くにあるゴールだけでなく、**今、自分がいる場所にある楽しさ**にも目を向けましょう。

そこにはきっと、小さな喜びがたくさん隠されているはずです。

明るい未来は自分で作ると決意する

自分の不運を生まれた環境や両親のせいにしている人は、そろそろ、そんな自分を卒業しませんか？
これからの人生は、自分の心で明るく変えていきましょう。

「私は田舎の出身で、両親も大学を出ていません。両親はとても厳しくて、子供時代もあまりいい思い出がないんです。同僚は皆、都会育ちで両親も立派な方ばかりです。自分がもっといい家に生まれていたら、今より幸せだったのに……」

ある看護師の女性は、そう悩みを打ち明けました。

彼女は頑張り屋で、病院内でも責任のある仕事を任されていました。話し方も誠実で、外見もかわいらしい雰囲気です。他人から見たら「どうして、そんなに悩んでいるんだろう？」と思えますが、彼女にとっては深刻な悩みだったのです。

心にマイナスのエネルギーがたまっているせいで、表情も沈んだ様子でした。

そんな彼女に、あるとき心理カウンセラーの友人が、子供の頃の田舎で過ごした楽しい思い出や、両親にしてもらったことを紙に書き出すことを提案しました。

すると彼女は、自分が生まれ育った町の自然の美しさや、毎日お弁当を作ってくれた母親や、余裕があるわけではないのに東京の大学に行く学費を用意してくれた父親に対して、感謝する気持ちが芽ばえてきました。

「決してやさしい両親ではありませんでしたが、不器用な両親なりに一生懸命、育ててくれたんだと思います。もう両親のせいにして、自分が不幸だなんて思うことはやめます」

彼女は「自分は出身地や両親のせいで幸せになれない」という呪縛から、やっと卒業したのです。

自分に自信を持てない原因を、自分以外の誰かのせいにしている人は、意外と多くいるものです。しかし、誰かのせいにしても、何も解決しません。

自分の人生を自分でコントロールしていく覚悟を持つと、人生の見え方が変わります。

全員に好かれる必要はない

人間関係は、量より質で決まります。
「皆に評価される必要はない」と考えるだけで、
人づき合いのストレスが減っていきます。

人づき合いがあまり得意でないという人は、誰とでも仲良くなれる友人と自分を比べて「私は、性格的に何か問題があるのかもしれない」などと、自分自身をネガティブにとらえる傾向があります。

確かに、社会人として生きていくには、誰とでも気さくに話せる社交性がある人の方が、周りの評価を得やすいのは事実です。

しかし、**人間関係の本質は「量より質」**です。

大切なことを話せる相手は、心から信頼できる少数の人で十分です。会うたびに、ストレスが増えるような友達なら、いない方がマシともいえます。

全員に好かれる必要はありませんし、全員にほめられる必要もありません。

本当の自分の実力を、よく知りもしない相手にわかってもらえないからといって、人生で失うものなど何もないのです。

多くの人に好かれるよりも、大切なのは身近な人といつも楽しく語り合える関係性を作っていくことです。

今、あなたは、家族や恋人、親友など、身近にいる人たちを大切にしているでしょうか？　人間関係とは難しいもので、それほど親しくない人には、やさしく接することができても、身近な人には、わがままなことばかりいって、やさしく出来ないこともあります。

でも、**あなたの幸せを何よりも喜んでくれるのは、身近にいる人たち**のはずです。一緒にいると、なんとなく楽しい。そう思える相手と過ごすほど、心にはどんどんプラスのエネルギーが増えていきます。

全員に好かれなくても、一緒にいて楽しい相手との絆を大切にする方が、明るい毎日を過ごすには、ずっと大切なことです。

同じ苦しみを体験した人の本を読む

人間の悩みのパターンは決まっています。図書館に行けば、あなたと同じ悩みから立ち直った人の本をきっと見つけることができるでしょう。

自分と似た境遇の人と悩みを分かち合うと、苦しみが小さくなったり、解決法が得られることがあります。

「でも、そんな仲間を見つけるのは難しい」という人もいるでしょう。

そんな人は、**自分と同じ苦しみを体験した人の本を読んでみる**といいでしょう。

ある女性は、母親との関係がよくないことで長年、悩んでいました。

母親はネガティブな性格で、娘であるその女性の顔を見るたびに、

「あんたは美人じゃないから、結婚できないよ」とイヤなことばかりいいます。

家に帰るたびにケンカをしてしまい、彼女は「どうしてこんな人が自分の母親なんだろう」とやりきれない思いを抱えていました。

あるとき、図書館で「家族」「女性問題」などのコーナーに行くと、母親と娘の関係をテーマにした本が、たくさんあることに気づきました。何冊か借りてみると、その中に自分と同じ悩みを持った人の本を見つけたのです。

その本には、ネガティブな性格の母親に育てられ、昔は母親を恨んでいたという著者が、今は「母親も人間なんだから、完璧ではなくて当たり前」と考えるようになり、冷静につき合えるようになったと書かれていました。

彼女は、この著者の体験を参考に、自分も母親を「ひとりの人間」と客観視することで、それまで抱えていた憎しみの感情から卒業することができたのです。

その後、インターネットでこの著者のホームページとブログを発見し、それを毎日読むことでも、たくさんの学びを得ることができたそうです。

ひとりで苦しんでも、解決策はなかなか見つかりません。一冊の本やインターネットが、そこから脱け出す方法を教えてくれることもあるのです。

人に喜んでもらうことで元気をもらう

自分には何もできないと思っている人は人の話を聞いてあげるだけで、十分に人助けができます。

「大変だったね」「きっと大丈夫」

そんな言葉が相手にも、そして自分にも元気を与えます。


自分で自分の心を明るくすることが、今はなかなかできないと思うなら、人助けをしましょう。誰かに喜んでもらうことをすると、自分自身の心にプラスのエネルギーが増えていきます。


「私が人のためにできることなんて、何もない」

「私には何の取りえもないから……」

という人も少なからずいるでしょう。

そんな人は、大げさに考えすぎなのです。

例えば、**相手の話を最後まで聞いてあげる**ということも、十分に人助けになります。これなら、どんな人にもそう難しくはないはずです。

人は誰でも、自分の話を聞いてもらいたいという欲求を持っています。

例えば、親友が、

「ついカーッとなって、上司と大ゲンカをしてしまった。もしかしたら、異動で飛ばされるか、下手したらクビになるかもしれない」

と落ち込んだ様子で電話をかけてきたとします。そんなとき、

「こんな時代にクビになったら、次の就職に苦労するかもしれないよ」

などと、ますます落ち込ませてしまうようなことをいってはいけません。

人の悩みを聞いてあげるときは、自分の気持ちをストレートにぶつけるより、

「大変なことがあったんだね。私でよかったら話を聞くよ」

とやさしく相手のつらさに共感してあげるだけでも、相手は安心するのです。

さらに、**励ましのプラスの言葉を意識的に使う**といいでしょう。相手の心も、口に出した自分の心も、同時に上向きになってきます。

いつもと違う場所に出掛ける

ひとりでじっとしていても、心にプラスのエネルギーは増えません。

「そんな気分になれない」といわず、まずは出掛けてみましょう。

着いた頃には気分が変わっているはずです。


ある会社員の女性は、仕事で失敗をしてしまい、落ち込んでいました。

上司には注意されただけで済んだのですが、以前にも似たような失敗をしたことがあるため、まじめな彼女は自己嫌悪に陥ってしまったのです。

彼女は、その失敗をしてから、

「上司は私のことをダメな部下だと思っているのではないか」

という不安を抱えるようになりました。

気持ちが常に沈んでいるので、会社の仲間に夕食や週末の外出に誘われても、出掛ける気分になれず、ひとりで部屋に閉じこもる時間が増えました。

そんな彼女を心配して、学生時代の親友が美術館めぐりに誘ってくれました。

最初は「そんな気分じゃないから」と断っていた彼女でしたが、しぶしぶ出掛けると、美術館から帰る頃、彼女の表情には笑顔が戻ってきていたのです。

それ以来、彼女は落ち込むことがあると、気持ちを切りかえるために、積極的に外出するようになりました。時間がないときは、キレイな景色が見えるビルの展望室に上ったり、噴水のある公園に出掛けたりするだけでも、気持ちが晴れることがわかりました。

人は、自分の目に見えるものから、たくさんの情報を得ています。

美しいもの、興味があるものを見ることで、心にはプラスのエネルギーが増えるのです。とくに**いつもと違う、初めて行く場所は、見るもの触れるものすべてが新鮮**ですから、気分を切りかえる効果もてきめんです。もしも、人と出掛ける気になれないなら、ひとりでもいいでしょう。

落ち込んでいるとき、出不精になって家にこもるのは、それだけで、心がプラスになる機会を逃しています。

5章

マイナス思考に歯止めをかけたいとき

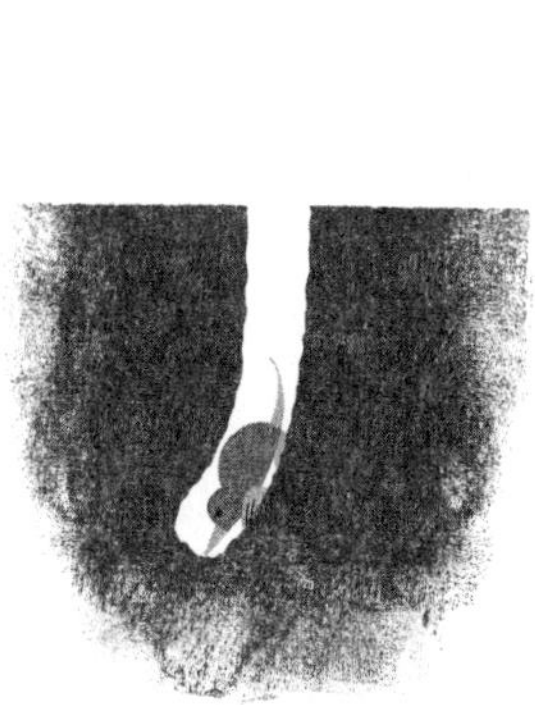

「プラスの意味づけ」をする

すべての出来事には意味があり、
プラスとマイナスの両面があります。
マイナスに思えた出来事も、
見方を変えればプラスの出来事に変わるのです。

ひとつの事柄も、見方を変えると違う意味合いが見えてくることがあります。

マイナス思考になってしまう人は、その事柄のマイナスの意味にばかり、目がいってしまうことが多いようです。例えば、

「私は、世の中の情報にうとくて、周りの人たちとの話題についていけない」

と落ち込んでいた人がいたとしましょう。

この人は、世の中のことに詳しくないことと、そのせいで周りの人とうまくコ

ミュニケーションが取れないことで悩んでいます。

この悩みのプラスの意味はなんでしょうか？

例えば、次のようなことが考えられます。

「周囲の話題についていけるよう、新聞や本を読んで教養をつけるチャンスだ」

「わからないことがあるということは、どんどん質問をして、周りの人たちと会話の機会を増やしていけるチャンスだ」

このように考えるだけで、これまでの悩みが、自分を成長させるチャンスに切りかわります。

そして、試練や課題ではなく**「チャンス」**と考えることができると、心にはプラスのエネルギーが増えて、プラスの出来事を引き寄せるのです。

落ち込みやすい人は、マイナスにとらえがちな事柄を、自分の意志で、プラスの意味づけに切りかえていきましょう。

最初は難しく感じるかもしれませんが、手始めはこじつけだっていいのです。

物事の**プラスの面を見つけるクセ**を持つと、凹んでも大きく落ち込むことがなくなり、プラス思考への切りかえもスムーズにできるようになります。

「なぜ？」を探るより「どうしたい？」を考える

「どうして、こうなったのだろう？」と考えるのをやめて、

「自分が本当にしたいことは何か」

「そのためには今、何をしたらいいのか」

に意識を切りかえると、マイナス思考から脱け出せます。


落ち込んだとき、その原因にばかり意識が向かってしまうことがあります。

例えば、恋人の態度が最近、妙に冷たく思えて、ふられてしまうのではないかと不安になってしまったとします。

すると、多くの人は、その原因を探ろうとします。

「ほかに好きな人ができたのかもしれない」

「もう自分のことを好きではなくなったのだろうか？」

そして、仲が良かった頃の写真を見て「この頃はやさしかったのに……」などとひとり落ち込んで、涙を流したりするのです。

これでは、マイナス思考はますますひどくなるでしょう。そして、原因のことで頭がいっぱいになって、次に恋人に会うときにとうとう、

「どうして最近、冷たいの？」

と相手を責めて、ますます関係を悪化させることになってしまいます。

このマイナス思考の悪循環から脱け出すには、原因について考えるのをやめて、

「それで、自分はどうしたいのか？」

「そのためには何をしたらいいのか？」

と考えることが有効です。

「やっぱり好きだから、信じていよう」という自分の心に気づいたら、次に会うときに、相手を責めるようなマイナスの言葉も出てきません。

原因を探っても、何も解決しないことがよくあります。

考えても仕方ないことで悩むよりも、**状況をよくするための方法**を探る方がずっと、幸せに近づける可能性は高くなります。

グチと不満はできるだけ口に出さない

グチと不満を口に出すたびに、
マイナスのエネルギーが心に増えていきます。
自分で、自分の気分をわざわざ落ち込ませているのです。
不満を増やす必要はありません。

これまでにも「不平不満にはマイナスのエネルギーが渦巻いているので、使わない方がいい」と話しました。

もし、それは本当だろうかと疑う気持ちがあるなら、身の回りにいる、グチや不満をいうのが好きな人たちを観察してみてください。

きっと、その人たちは日常生活でトラブルに見舞われることが多く、あまりツイているとはいえないのではないでしょうか？　周囲の人から敬遠されて、人間関係がうまくいっていない人も多いと思います。

理由はその人たちの心の中に、グチや不満をいうたびに蓄積されてきたマイナスのエネルギーが多くあるからです。

そのマイナスのエネルギーが磁石のように、マイナスの出来事を引き寄せてしまっているのです。

そして、不平不満をいうのが好きな人は、気づかないうちに、

「自分が報われないのは、周りがバカばかりだからだ」

「この人がいるから、自分は幸せになれないんだ」

といったような不満を口にして、ますます悪い状況を呼び込んでしまいます。

このサイクルから脱け出すには、**グチと不満は今日からいっさい、口にしないと決める**しかありません。

どうしてもいいたくなったときは、信頼できる友人に「今日だけグチをいわせて」と聞いてもらうといいでしょう。

大切なのは、あの人はグチっぽい、いつも誰かの悪口をいっているといわれるような人間にならないことです。

マイナスの言葉は、プラスの言葉で打ち消す

ついマイナスの言葉を使ってしまったときは、
プラスの言葉で打ち消しましょう。
反省ばかりしていると、
またマイナスのエネルギーが増えてしまいます。

日常でプラスの言葉をたくさん使い、マイナスの言葉を使わないようにすることは、いうまでもなくマイナス思考から脱け出すために、重要になります。

とはいえ「プラスの言葉を使うようにしよう」と心に決めても、つい何気ない会話で、マイナスの言葉が出てしまうこともあるでしょう。

「ああ、またあの人と会わなきゃいけないなんて、憂うつだ」

「今週は仕事が忙しくて、考えるだけで暗くなる」

そんなふうに思い通りにいかないことがあるときは、感情がマイナスに大きく傾いて、自分の予想以上に、ネガティブな言葉が口から出てきやすくなります。

そんなときに「ああ、またマイナスの言葉を使ってしまった……」と凹んでしまうと、せっかくプラスの言葉を心掛けてもマイナス思考に逆戻りです。

そんなときは、自分を責めるかわりに、

「少しグチってしまった言葉は取り消し！」

とすぐに口に出していってみましょう。

意識的に元気な感じでいうようにすると、心にプラスのエネルギーが増えて、先にいってしまったマイナスの言葉のエネルギーを打ち消すことができます。

くり返し話しているように、マイナスの言葉は使わないに越したことはないのですが、無理は禁物です。これまでずっとグチや不満をいっていた人が、いきなりプラスの言葉を使いこなすのは意外と難しいものです。

大切なのは、時間がかかってもいいので、**自分の発言の中にプラスの言葉を少しずつ増やしていくこと**です。これが口グセになってくると、意識をしなくても、マイナスの感情についても、プラスの言葉で話せるようになってきます。

「でも」はポジティブな使い方をする

「でも」「だって」「どうせ」の使い方に注意しましょう。
使い方を間違えるとそれだけで、
マイナス思考を加速させてしまうかもしれません。

できるだけ使わない方がいい言葉に**「でも」「だって」「どうせ」**があります。これらの言葉には、それまでの会話の流れをさえぎって、会話の方向性を変えてしまう力があります。使い方を間違えると、このひとことのせいで、場をシラけさせたり「すぐに話の腰を折る人」と思われることになります。

また、これらの言葉の後には、ネガティブな言葉が続くのが一般的です。

「でも、頑張ってもムダだから、もういいんです」

「だって、やりたくないんだから、仕方ないでしょう」

「どうせ、私は美人でもないから愛されない」

　これらの言葉には、相手の言葉や好意を受け入れたくないという、「拒絶」が感じられ、そのため、これらの言葉を口グセのように使っている人は、いつまでたってもマイナスの感情を切りかえられず、相手に対して怒ったり嫌味をいったわけでもないのに人間関係を悪くしてしまい、さらなるマイナスのエネルギーを引き寄せるのです。


　今の自分を変えたいと思うなら、この3つの言葉は、できるだけ使わない方がいいといえます。

　もしも使うのなら、**相手がネガティブな話題を出したときに、会話をポジティブな方向に変えるため**に使いましょう。

「でも、次はきっとうまくいくよ」

「でも、あなたならきっと大丈夫だよ」

　そんな使い方なら、自分も相手も心がマイナスになることはありません。

マイナス思考を断つコツ 6

夢や目標を具体的に口にする

夢や目標の持つプラスのパワーは強力です。
具体的に頭の中でイメージして、
声に出していうとさらに効果的です。

あなたは今、夢や目標を持っていますか?

「急にそんなことといわれても、思いつきません」と何も浮かんでこない人もいるでしょう。あるいは、「何でもいいから成功してお金持ちになりたい」「誰でもいいから結婚して欲しい」

そんなふうに、漠然とした答えしか出てこない人もいるかもしれません。

そんな人にはぜひ、自分が本当に望むことについて、じっくりと考えてみて欲しいと思います。

本当に手に入れたいと思える夢や目標を思い描くと、心の中にはプラスのエネルギーがあふれ出します。

そして、夢や目標を思い出すだけで、心にプラスのエネルギーが生まれるので、夢や目標を持つと、物事をマイナスに考えにくくなるのです。

こういうと、立派な目標や大きな夢を持たなくてはならないと思う人もいるかもしれませんが、夢や目標の大小はあまり関係ありません。

「ピアノで好きな曲を演奏できるようになりたい」

「年内に温泉旅行に行きたい」

そんな、すぐに実現できそうなことでも、十分に心をプラスにする効果はあるのです。

大切なのは、叶えたいことがあったら、それを**具体的にイメージして、実際に声に出していうこと**です。あるいは、**紙に書き出す**のも有効です。

夢や目標を口に出すと、それに向かって無意識に行動するようになります。

気づけば、マイナス思考がプラス思考に切りかわっているでしょう。

なんのために落ち込んでいるのかを考える

時間は貴重な資源です。悩んでいる時間があるなら、そのかわりに、明日の仕事の準備でも始めませんか？

その方がずっと、人生にとっては建設的です。


マイナス思考にとらわれてしまうと、何も手につかない状態で、ただ時間が過ぎていってしまうものです。

そんなときは、自分にこう問いかけてみましょう。

「今、自分はなんのために、落ち込んでいるのか？」

そのときに出た答えで、その後にすべき行動が変わってきます。

「もう少し考えたら解決策が出そうな気がするから、さっきからずっといろいろなことを考えている」

というような答えが出てきたなら、その状態を続けてもかまいません。

落ち込みや後悔の気持ちを感じていても、何かしらそこに**「目的意識」**があれば、意味のある答えが見つかって、感情が切りかわる可能性もあるからです。

しかし、こんな思いが浮かんできたら、それはいけません。

「別に意味なんてないけれど、とくにやることもないので、ついイヤな体験をしたときの悔しさを思い出していた」

これでは、ネガティブな感情をわざわざ呼び起こし、マイナス思考をさらに悪化させていくだけでしょう。

ダラダラと悩んでいても、問題が解決するわけではありません。

何の役にも立たないとわかっていながら、貴重な時間を使うのは、もったいないことといえます。そう気づいたなら、

「とりあえず今は、明日の仕事の準備をしよう」というふうに、強制的に気持ちを切りかえましょう。

落ち込んだときは、**「今のこの時間が何の役に立つ?」**と考えてみることが、気持ちの区切りをつけるいいきっかけになります。

「ありがとう」を口グセにする

「ありがとう」というたびに、
心にはプラスのエネルギーが増えます。
探してみれば、日々の生活のなかには
「ありがとう」をいうチャンスはあふれています。

私たちは誰もが、ひとりきりでは生きていけません。

日々、たくさんの人たちに支えられて生きています。

しかし、理屈ではわかっていても、落ち込んでマイナス思考に陥っているときは、他人に対して感謝の気持ちが湧きにくいものです。

「なんで、大したこともしてもらってないのに感謝をしなきゃいけないの？」

「むしろ、いつも世話をしているのは私なんだから、感謝されるべきだ」

そんなふうに、感謝することに対して抵抗を感じることもあるでしょう。

しかし、「ありがとう」という言葉は、大きなプラスのエネルギーを持っています。凹んでいるときこそ、できるだけたくさん使った方がいいのです。

そこでおすすめしたいのが、日頃から場所や場面を問わずに「ありがとう」を口グセのように使うということです。

とくに簡単なのは、**あいさつの前後に「ありがとう」をつけ加えること**です。

「部長、おはようございます。昨日はご指導をありがとうございました」

「こんばんは。先日は、いろいろとありがとうございました」

「今日はありがとう。また明日ね」

こんな具合に、あいさつの前後だと「ありがとう」が自然な響きで聞こえます。

相手は「感謝される覚えはないけど……」と不思議に思うこともあるかもしれませんが、悪い気はしないはずですし、何より**「ありがとう」といっている自分の心が和《なご》んでくる**のです。

「ありがとう」は、心のプラスのエネルギーを効率よく増やして、いった方もいわれた方もハッピーになる最高の言葉です。

「いいこと日記」をつける

注意深く観察してみると、1日にいくつもの「いいこと」が起こっていることに気づくはずです。それは神様からのプレゼントなのかもしれません。

マイナス思考のときは、「この頃、よくないことばかり起こる」と考えがちです。

確かに、凹んでいるときは心にマイナスのエネルギーが増えているので、考え方がマイナスになるよう、マイナスの出来事も起こりやすくなります。

しかし、よく観察してみればそんなときにも、自分の身には小さな幸せが訪れていることに気づくことができます。

例えば、たまたま入ったレストランで、大好きなアーティストの大好きな曲がかかっていたことはありませんか？

いつもなら会社に遅刻という時間に起きたのに、その日はなぜか、駅までの信号が全部青で、ギリギリいつもの電車に乗れたという経験はありませんか？

それを「偶然」と考えて、すぐに忘れてしまえば、心にプラスのエネルギーが増えることはないでしょう。

でも**「いいことがあってラッキー！」**と考えれば、心にはプラスのエネルギーが増えて、プラスの出来事を引き寄せることになります。

さらにプラスのエネルギーを心に増やすためには、**毎日、その日にあった「いいこと」を数えて、日記に書き残す**のがとても効果的です。

「いいこと」を探して日記につける習慣を持つと、自分の身に起こる「いいこと」に対して敏感になります。

そして「またいいことがあった」と思うたびに、心にはプラスのエネルギーが増えて、いつしかマイナス思考から脱け出しているのです。

さらに、凹むようなことがあったときも、この「いいこと日記」を読み返すことで「大丈夫。自分はこんなに運がいいから、明日はきっといいことがあるさ」とマイナス思考をプラスへ切りかえるスイッチにもなるのです。

休日こそ楽しい予定をどんどん入れる

休日ずっと寝ていたのに元気が出ないのは、心がしっかりと休養できていないからです。休日と平日のメリハリをつければ、月曜日を元気に迎えられます。


「また憂うつな1週間が始まった。会社に行きたくない」

「土、日にたっぷりと寝たのに、なんだか疲れて元気が出ない」

このように、月曜の朝になると、わけもなく心が沈む症状を、**「ブルーマンデー症候群」**といいます。

厚生労働省の統計によると、1週間のうち、月曜日が最も自殺者が多いことがわかっています。日本ではブルーマンデー症候群に悩まされている人がたくさんいるという証拠です。

ではなぜ、月曜日の朝になると心が沈むのでしょうか？

「働きすぎて、休日だけではストレスや疲れを解消できないから」と思う人もいるかもしれません。

しかし、実際はそうでもないようです。ブルーマンデー症候群の人たちには、休日ずっとパジャマを着て、ひとりでのんびりと寝て過ごしている人も少なくはないのです。

ここからわかることは、心身を休めるということは、時間の長さが問題ではなく「心」が十分にリラックスできたかが重要だということです。

ダラダラと過ごしても疲れがとれないのは、それだけでは心にプラスのエネルギーを増やす効果がないからです。

休日こそ、充実した時間を過ごしましょう。自分が心から楽しいと思えることをして、心にたまったマイナスのエネルギーをプラスに切りかえるのです。

そうすれば、心が元気を取り戻して、月曜日の朝に起きるのが、つらくなくなるでしょう。

手帳にワクワクする予定を書き込む

そのことを考えるたびに心が躍るような予定があれば、
マイナス思考から脱け出せなかった心も
それだけで明るい方向へ切りかわっていきます。

人の感情は、大きく分けて「喜怒哀楽」の4つに分けられます。

このうち、プラスのパワーが大きいのは「楽」と「喜」の気持ちです。

ですから、落ち込んでいる人は、意識的に喜びと楽しみの感情を味わうことで、ネガティブな感情が小さくなり、暗くなっていた気持ちは自然と明るくなります。

「そんなに簡単に、感情は切りかわらないよ」

「イヤなことが多すぎて、楽しいことなんて考えられない」

という人は、**自分が何をしているときに一番ワクワクしているのか**を考えてみてください。

そして、自分の心が喜ぶことを見つけ出したら、そのことに**積極的に時間を費やす**のです。

仕事の忙しさを理由に「そんなことは無理」と断言するのはやめましょう。

仕事のために、あなたの人生があるのではありません。あなたの人生を豊かにするために、仕事があるのです。

今すぐには無理でも、少しずつ時間を調節できる体制を作ることは可能でしょう。そして、自分の心が喜ぶことに時間を割くようにシフトしていきましょう。

人によってその内容は異なりますが、とにかく、**ワクワクすること、快適になること**をどんどんやってみてください。

ある女性はスキューバダイビングが大好きですが、就職してからずっとやっていませんでした。しかし、「半年に1度、スキューバダイビングに行く人生を送りたい」と思い、手帳にその予定を書き込んでいきました。

すると、手帳を見るたびにワクワクして、小さなことでは落ち込まなくなったのです。あなたがワクワクすることは何ですか？

過去のアルバムを見返す

過去の楽しかった記憶は、今の自分にも元気をくれます。アルバムの中の笑顔の自分を見返すうちに、当時の記憶がよみがえって、心がワクワクしてきます。

落ち込んでいるとき、何をしてもマイナスに考えてしまうなら、アルバムをめくって過去の楽しかった記憶を思い出してみましょう。

福祉関係の仕事をしている女性がいました。彼女の毎日は、とてもハードです。朝早くから夜遅くまで、休んでいる暇がないほどで、体力的にも、精神的にも限界を感じていました。

ところがある日、部屋の掃除をしているときに、学生時代のアルバムが出てきたのです。仲良しの友人たちと、卒業旅行で初めて海外へ行ったときの写真です。

めくってみると、

「あのときは、本当に楽しかったな」

といろいろなことが思い出されてきました。

観光地で食事をしたこと、将来の話をしたこと……。楽しい記憶を思い出すうちに、疲れていた彼女の表情は、無意識に笑顔になっていきました。

アルバムをひと通り見終わった頃には、仕事の疲れは吹き飛んでいたのです。

「いろいろと大変なこともあるけど、明日からまた頑張ろう！」

そうパワーが湧いてきたのです。

心が疲れているとき、落ち込んでいるとき、**過去の楽しかった記憶が、立ち直るきっかけになる**ことがあるのです。

子どもの頃のアルバムを見れば、母親が自分のことを大切に思ってくれていたことを実感して、感謝の気持ちが湧いてくるかもしれません。

写真を撮るとき、人は自然と笑顔になるものです。

過去のアルバムにある笑顔のプラスのエネルギーは、現在の自分にもしっかり力を与えてくれるのです。

失敗は成功に近づくステップと考える

「失敗の先には不幸がある」と考えるから、つらくなるのです。
失敗を恐れずにチャレンジして、失敗してしまったときは
「また一歩、成功に近づいた」と考えましょう。

「将来結婚を約束していた恋人の転勤が決まり、別れ話が持ち上がった」

このように、これまで順調に進んでいたことが、何かしらのきっかけで、急展開に状況が悪くなってしまうこともあります。

そんなときは「もうダメだ」と一気に落ち込むものですが、その状況をネガティブな感情のままに「失敗」と決めつけ、もう取り返しがつかないと思い込んでしまったら、マイナス思考の渦に巻き込まれてしまいます。

「失敗」と決めつけた途端に、目標に向かっていたプラスの気持ちはいっさい

消えてしまうので、奈落の底に向かうように気持ちは下降するばかりです。

そんなときは、うまくいかないその状況を「失敗」ではなく**「成功に近づくための経験がまたひとつ増えた」**と考えるようにしましょう。

有名な話のひとつに、エジソンは電球を発明するまでに、何千回もの失敗をくり返しました。しかし、エジソンはまわりから「また失敗でしたね」と冷やかされても、決してそれを認めようとはせず「失敗ではない。私はこの素材が電球に向かないことを発見したんだ」と答えたといわれています。

この不屈の精神があったために、エジソンはうまくいかないときにも、マイナス思考に陥らず、目標を達成するまで頑張り続けることができたのでしょう。

失恋したときは**「もっといい人に出会うために必要なステップなんだ」**と考えると、落ち込みすぎることを防げます。

目の前の結果が「失敗」か「次に進むステップ」なのかを決めるのは、誰でもない自分自身の心です。

そして、何事も前向きにとらえることで、もう一度チャレンジする勇気を奮い立たせることができるのです。

植物でマイナスの心を浄化する

植物には、人の心を浄化し、リラックスさせる力があります。
「悪いことばかり」と心がささくれ立ってきたら、
部屋に観葉植物を置いたり、緑や花のある場所へ出掛けましょう。

都会の街中では、桜やイチョウなど、たくさんの樹木が植えられている風景をよく目にします。

これは、景観をよくするためだけではなく、排気ガスなどで汚れた空気を浄化したり、自然と離れて暮らす都会の人の心をリラックスさせる効果があるといわれています。

このような植物の性質を利用して、心にプラスのエネルギーを増やし、マイナス思考を切りかえるきっかけにすることができます。

まずおすすめなのは、自宅に観葉植物を置くことです。植物のグリーンは、目にやさしく、心に安らぎを与えてくれます。

植物はその近くにいる人のマイナスのエネルギーを吸収してくれます。そのため、最初のうちは、沈んだ心や空間を浄化するかわりに、植物は枯れやすくなるかもしれません。自分のために枯れたと思うと「植物がかわいそうだから、もう育てたくない」と思う人もいるでしょう。

しかし、そこで育てるのをやめないでください。枯れてしまった植物に感謝をして処分したら、また別の新しい植物をくり返し置きましょう。次第に心にプラスのエネルギーが増えて、植物も元気に育つようになるでしょう。

あるいは週末、**家の近所で植物がたくさんある場所を探して、散歩に出掛ける**のもおすすめです。植物園や庭園のほかにも、神社やお寺も意外に緑が豊かです。

そうして、植物に触れてリラックスしているだけで、自然に心にたまったマイナスのエネルギーを浄化して、プラスのエネルギーを補充してくれます。

植物に触れながら考えごとをすると、悪い方へ向かうばかりだったマイナス思考にも、プラスの変化が現れてくるのを感じられるでしょう。

感動する映画を観る

泣いたり、笑ったり、ドキドキしたりと、
自分の感情を揺さぶると、
心の中のマイナスのエネルギーが小さくなります。

人は、泣いているときに、楽しいことを考えることはできません。
反対に、心から楽しい感情を味わっているときは、落ち込むこともありません。
つまり、私たちの心は、反対のふたつの感情を同時に感じることはできないのです。
この仕組みを利用して、感情を切りかえる方法があります。
それは、**感動する映画を観る**ということです。
感動の種類にもいろいろありますが、注意したいのは**「ハッピーエンドの映画」**

を選ぶということです。

また、映画館で観ることも大切です。それは、画面も音量も大きい映画館で観ると、テレビなどに比べて、心が映画の世界に入り込みやすくなり、それだけ感情を大きく揺さぶられるからです。

自分は映画を観てもあまり感動できないという人は、落ち込んで気分が沈んでいた期間が長すぎて、心にマイナスのエネルギーがたまって感動しにくくなっているのかもしれません。そんな人は、映画が終わった後で、意識的にプラスの言葉を口に出してみてください。

「すごく面白かった」「あのシーンは本当に感動した」

そのような**プラスの言葉を発する**ことで、じわじわと心からマイナスのエネルギーが溶け出して、プラスのエネルギーが増えてくるはずです。

自分ひとりの力ではネガティブな感情を切りかえられない、つい悪いことばかり考えてしまうというときは、映画館に出掛けましょう。

映画の力を借りて、思いきり笑ったり、泣いたり、ドキドキして、マイナス思考を一度オフにしてリセットしましょう。

いらないものを捨てる

自分の部屋は、今の心の状態を映し出している鏡です。
ごちゃごちゃ散らかって、不要なものをため込んでいませんか？
思いきって捨てると、心もスッキリと軽くなります。

部屋は、そこに住む人の心の状態を映しているという説があります。

例えば、精神的に落ち着いている人の部屋は、きれいに片づけられており、反対に、いつも暗い顔をしていて、マイナスのエネルギーをため込んでいる人の部屋は、不要なものが多く、散らかっていることが多いようです。

つまり、**心の中が荒れていると部屋も荒れて、心の中がスッキリしていると部屋もスッキリしている**ということです。

この仕組みを使って、自分の心を整理することができます。

方法は簡単です。自分の部屋の整理整頓をするのです。

その結果、いらない書類、雑誌や本、洋服など、昔は大切にしていたけれど、今は使わないというようなものがあれば、思いきって処分します。

そうするだけで、気分がスッキリと軽くなるのを実感できると思います。

普段は意識していない人が多いと思いますが、もう使っていないものや、壊れているものは、心にマイナスのエネルギーを与えるようです。

ホコリをかぶった古雑誌や、もう何年も着ていない洋服も同様です。

その影響で、部屋の住人まで、マイナスに傾いてしまうことがあるのです。

もし、部屋が荒れぎみなら、その部屋で考えることが、悪いことばかりのマイナス思考になってしまうのも当然かもしれません。

風水でも「いらないものを捨てると、運がよくなる」といわれています。

いらないものを捨てることは、心の中のマイナスのエネルギーを捨てることにもつながります。

面倒だと思っても、もったいないと思っても、そこを乗り越えて行動することが大切です。

順調なときほど謙虚な気持ちでいる

人生が順調なとき、人は謙虚さを忘れてしまいます。
いつだって「おかげさま」の気持ちを持つことは、
心を安定させる秘訣です。

落ち込んだ気持ちを抱えながらも、人に感謝することを心掛けていると、気持ちがだんだんと安定してくるものです。

すると、心にプラスのエネルギーが増えることで、運もだんだんと上を向いてきます。気をつけたいのは、そんな「最近、ちょっといい感じになってきたな」というタイミングです。

当然のことですが、人生が順調なときというのは、落ち込むことはあまりありません。

すると、多くの人はそれが「自分の力」によるものだと思い、だんだんと他人への思いやりの心が薄れがちになってしまうのです。

謙虚な気持ち、人にやさしくする気持ちを忘れてしまえば、ちょっとした凹む出来事で、また元のように落ち込みやすい状況に戻ってしまうこともあります。

心にあるプラスのエネルギーとマイナスのエネルギーを意識して生活するようになると、自分の考えていることと、自分の身に起きることが、太いパイプでつながっていることを感じるようになるはずです。

また、人にやさしくする生活を意識するようになると、人への思いやりを持つことが、**いかに自分の心にプラスのエネルギーを増やし、人生を豊かにしてくれるか**を実感できるようになるでしょう。

その発見をいつも心の中に置いて、マイナスの状態を脱け出したときにも、忘れないで欲しいと思います。

いいことがあったときには**「自分を支えてくれた人たちのおかげ」**という謙虚な姿勢を持ち、調子のいいときも「おかげさまで」という姿勢を持ちましょう。

それができる人は、人生の中で落ち込む時間がどんどん減っていきます。

6章

孤独を感じて
つらくなったとき

人間関係を自分から広げていく

ただ待っていても、自分をわかってくれる人とは、そう出会えません。状況を変えるためには、自分から動き出しましょう。じっと黙って待つだけでは、相手に気持ちは伝わらないのです。

人づき合いが苦手という人に、ぜひチャレンジして欲しいことがあります。それは、**仲良くなりたい、もっと話してみたいと思う相手がいたら、積極的に自分から話しかける**ということです。

人づき合いが苦手という人の多くは、狭い人間関係の中でがんじがらめになって苦しんでいるパターンが多いのです。

知り合いが多くないという人のなかには、本当はそこから抜け出したいのに、「相性が合わないとわかっているけど、友人がいないから一緒にいる」

そんな消極的な気持ちで人間関係を作っていると、心にはどんどんマイナスのエネルギーが増えていき、自分で孤独感をつのらせて、ますます人を遠ざけるようになってしまうかもしれません。

そして、狭い人間関係のなかにいると、無意識のうちに、相手に「こんなに一緒にいるんだから、私のことを理解してほしい」という期待が強くなり、裏切られたと感じる機会も増えてしまいます。

そのため、ケンカやすれ違いなども起きやすくなり、落ち込む機会が多くなるのです。

反対に、たくさんの友人がいれば、その中から自分にとって居心地のいい相手を選べばいいので、合わない人との間柄を無理に保とうとはしなくなります。

大人になってから友達を作るのは、人づき合いが苦手な人にとっては、そう簡単なことではありません。しかし、趣味のサークルや習い事などを始めてみるといったシンプルな行動でも、意外と友人はできるものです。

「今の人間関係のなかで幸せにならなければいけない」というプレッシャーを捨てましょう。 それだけでも、心が少し明るくなるはずです。

自分のバイオリズムと上手につき合う

誰にでも気分の浮き沈みのパターンがあります。客観的に自分の感情を見つめて、その波のリズムを知ることで、自分の感情にふり回されることがなくなります。

誰にでも気分の浮き沈みのパターン、いわゆる「バイオリズム」があります。

調子がいいときは、気力にあふれていて、どんなことでも前向きに考えることができますが、調子が悪いときは、わけもなく気分が沈み、次々と不安や悲しみが襲ってくるものです。

とくに女性の場合は、体調によって、無気力になったり、どうしようもなく落ち込んだりするときがあると思います。

そんなときは、落ち込んでいる自分を客観的に見ることで、大きく沈み込むのを防ぐことができます。

例えば、わけもなく人恋しくなり、孤独で寂しい気持ちに押しつぶされそうになったときは「寂しくて死んでしまいそう。一生一人だったらどうしよう……」とネガティブな感情の波に飲み込まれてしまうのではなく**「私は今日、すごく落ち込んでいるな。きっと今日は、そういうバイオリズムなんだ」**というふうに、冷静に自分の感情を見つめてみるのです。

そして「今日は思いっきり泣こう。そうしたら、スッキリして明日になれば元気になるだろう」と考えてみましょう。すると、少しずつ気持ちが落ち着いてくると思います。

いつも明るくて元気に見える人でも、バイオリズムが下向きで、気分が落ち込みやすくなる日は必ずあります。

そんな日は、慌てず騒がず、静かにやり過ごすなどして、**いつも通りの自分に戻るのを待っていればいい**のです。

バイオリズムの波があるのは、誰のせいでもありません。自分のバイオリズムと上手につき合うことができれば、感情にふり回されることも減っていきます。

ゆっくりと自分を好きになる

今のままの自分で、少しずつ幸せに近づいていきましょう。

そのために必要なのはまず「自分を好きになること」です。

それだけで、毎日が変わっていきます。


「自分の人生には全然いいことがない」

「どうして、私は私なんかに生まれてしまったんだろう」

そんなふうにため息をついている人に、ぜひ伝えたいことがあります。

それは、**自分を「ダメな人間」「幸せになれない人間」と決めつけないで**欲しいということです。

どんな人にも必ず、いいところがあります。自分が嫌いという人は、自分の魅力にまだ気づいていないだけなのです。

どんな人でも、今のままの自分を変えることなく、幸せに向かっていくことができるのです。暗い顔をしているなら、まずは「私だって、愛にあふれ、心から幸せと思う満たされた日を過ごせるときが来る」と信じて顔を上げましょう。

そして、**「ゆっくりと自分自身を好きになっていこう」**と決めてください。

なぜかというと、長い間、自分に自信を持てなかった人は、急に状況を変えようとすると、つまずいたり、うまくいかなかったときに、必要以上に凹んで前にも増して落ち込んでしまうからです。

もっとすてきな自分になることを決意したら、

「急ぐ必要はない。少しずつ、成長していけばいい」

「今の自分でもOKだけど、もっと魅力的な自分になれるように頑張ろう」

と考えましょう。

自分が好きになれなかった人が、自分を大好きになってハッピーな毎日を送れるようになるまでには、少し時間がかかって当然なのです。

長い目で、自分の成長を見守ることで、心に不要なストレスをためることなく、ゆるやかに変化していくことができます。

人を喜ばせたり助ける方法を考える

凹んでいる原因を解決することにこだわると、悩みから脱け出せなくなります。悩みと関係のない行為の方が気持ちを晴れやかにして、状況を変えることもあるのです。

精神科医のアルフレッド・アドラーがうつ病を治す方法として、次のようなことをいっています。

「うつ病は、どうやったら人を喜ばすことができるかについて考えていれば、2週間で全快する」

うつ病の人の多くは、悩みを抱えていて、心には大きなマイナスのエネルギーがずっしりと蓄積されています。

なぜ**「人を喜ばすこと」**を考えると治るのかといえば、他人のために何かをしてあげたいという気持ちになると、心にプラスのエネルギーが増えるからです。

私はこの話を聞いたとき「情けは人のためならず」ということわざを思い出しました。これは「人のために情けをかける（やさしくする）ことは、めぐりめぐって、最後には自分のところに返ってくるのだから、相手のためではなく、自分のためだ」という意味です。

私は、人を喜ばせることには、心にプラスのエネルギーを増やすだけでなく、目に見えない「宇宙銀行」に徳を積むことになるため、その徳の預金が後で、自分のところに返ってくると考えています。

落ち込んでいるときは、目の前の悩みにばかり意識が集中してしまいます。

しかし、ひとりでいくら考えても解決しない問題や、考えるほど暗くなる悩みに、心をとらわれてしまうことは、人生のムダでしかありません。

人づき合いの悩みなら、なおのこと、ひとりで解決することはできません。

悩みから脱け出せなくなったときは、人を喜ばせることに、意識を向けてみましょう。

人を喜ばせることは、自分を助けることになるのです。

好きなことを趣味にする

マイナスのエネルギーが増えるよりも早いペースで、プラスのエネルギーを増やす習慣を持っている人は、ひとりでもいつも元気です。


ギターの演奏が趣味という人から、こんな言葉を聞いたことがあります。

「ギターを弾いている人で、悩んでいる人はいない」

それはきっと、その人たちがギターが大好きなため、何かイヤなことがあっても、ギターを弾くことで、気分がスッキリと晴れるからでしょう。

ギターに限らず、それをすると心がワクワクして、プラスの感情で満たされるという趣味を持っていると、心は凹みにくくなります。

ある会社員の女性は、失恋のショックから立ち直るために、英会話のレッスンに通うことにしました。

もともと海外や英語が大好きで、学生時代はレッスンにも通っていたのですが、恋人とつき合っているときはデートに忙しくて、本格的に英語を勉強することはありませんでした。

しかし、失恋をして「本当に自分のやりたいことはなんだろう？」と考えたとき「やっぱり英語を自由に話せるようになりたい」という気持ちが湧いてきたのです。

彼女は久しぶりに、英語の勉強を始めました。すると、もともと大好きだったことなので、すぐに夢中になり、失恋の痛手も消えてしまいました。

英語を話すたびに心がウキウキし、恋人がいない寂しさを感じないばかりか、毎日が楽しくて仕方ないという気持ちになったのです。

このように、**好きなことを趣味にすることで、落ち込みから脱け出せたり、心がプラスの感情でいっぱいになり、凹みにくい自分に変わることができます。**

好きな趣味が思い浮かばない人は、過去に夢中になっていたことや、子供の頃に憧れていた職業にヒントがあるかもしれません。

プラスのパワーをくれるテレビや映画を観る

どうせ観るなら、ハッピーエンドの映画を選びましょう。
主人公に共感するうちに、
「私だって大丈夫！」という意識が強まります。

観ると元気が湧いてくる、お気に入りの映画やドラマを見つけましょう。

部屋で寂しく過ごす自分に悩むくらいなら、そのＤＶＤを観て心にプラスのエネルギーを増やせば、必要以上に凹んでしまうことを防げます。

反対に、避けた方がいい映画やドラマもあります。それは、後味の悪いホラー映画や深刻な社会問題を扱った映画などです。

もちろん、それらの作品に問題があるわけではありません。

しかし、いくらフィクションといえども、自分の心を必要以上に怖がらせたり、後味の悪い思いをさせたりするのは、いいことではありません。

マイナスのエネルギーが増えることにかわりはないからです。

ある女性は、落ち込みにくい自分になるための一歩目として、朝のテレビニュースを観るのをやめたそうです。

それは、ニュースを観ると事故や事件などの心が痛むシーンをどうしても観ることになるからです。

その女性は繊細な性質なので、朝から悲しいニュースを観た日は、1日がなんとなくブルーな気分になっていました。

しかし、テレビを観るのをやめて、好きな音楽を聞くことから1日を始めるようにしたら、毎日がハッピーになったといいます。

このように、観るテレビ番組や映画を変えるだけでも、心のエネルギーをプラスにする効果を期待できます。

「恋愛のことで凹んでいるならハッピーエンドのラブコメ映画」「仕事のことで凹んだらサクセスストーリーの映画」といったように、自分の状況に関係したものを観ると、より効果が実感できるでしょう。

「考えても仕方がない」と割りきる

「どうしてこんなことになってしまったのだろう？」
答えの出ない悩みにとらわれていると
マイナスの感情がどんどん増えていくばかりです。

恋人、友達、同僚など、対人関係で自分の思いどおりにならないことがあると「なぜ？」「どうして？」と理由がわからずに思い詰めたり、「あんなこといわなければよかった」と後悔することが多くあります。

短時間ならそれも仕方ありません。でも、そのような状態がずっと続くのは、自分のためになりません。

あるOLのY子さんは、先輩のA子さんが、なんとなく自分に冷たいような気がして、悩んでいました。

Y子さんはマジメな性格で「会社の先輩とはできるだけ仲良くするべき」と考えていたために、先輩の態度が冷たい理由を一生懸命に考えました。

しかし、ハッキリとした答えが見つかりません。

彼女はA子先輩に会うたびに「今日も何となく冷たかった」「どうしてだろう？」と理由を考え続けて、ついには不眠症になってしまいました。

そのときの状況を振り返って原因を探ろうとすると、同時に、冷たくされて感じた悲しさやつらさ、むなしさなども思い出すことになり、心の中にはくり返し、マイナスの感情が増えていきます。

こんな状態が長く続けば、うつ病にもなってしまうかもしれません。

「考えても仕方がない。別に意地悪をされているわけではないのだから、もう気にするのはやめよう」

そう考えることができれば、Y子さんも深刻に悩まずにすんだでしょう。

ある程度、考えても答えが見つからない場合は「考えても仕方がないこと」と割りきってしまうのも、ひとつの方法といえます。とくに人づき合いの悩みは、**自分が気にするのをやめるだけで、解決する問題も多い**のです。

人との話題が増える本を読む

読書を趣味にすると、部屋にいながらにして自分の価値観を大きく広げることができます。ひとりで落ち込むくらいなら、図書館に出掛けましょう。


人生の幸福度をはかる調査で「幸せではない」と答えた人の特徴を調べてみると「ヒマを持て余している」という共通点があったそうです。

「私は1日のなかで、ボーッとしている時間が多い」

「ヒマだけど、とくに趣味もない」

そんな人におすすめしたいのは、**読書の習慣を持つこと**です。

人間には知識欲というものがあります。

アメリカの作家で生化学者でもあるアイザック・アシモフは「人間は無用な知

識が増えることで、快感を感じることができる唯一の動物である」と述べました。

「へー、そうだったのか！　面白いなあ」

「なるほど。知らなかった！　勉強になった」

本を読むことで新しい知識が身につくと、私たちの心には、そんなふうにプラスのエネルギーが増えていきます。

また、小説を読めば、登場人物たちに感情移入することで、自分の価値観を広げることもできるでしょう。

注意点としては、読み終わったときの後味が悪い本を選ばないことです。

その本の中身がどんなものなのかは、本の前書きや目次などを見ればわかります。とくに落ち込んでいるときには、あまり深刻なテーマを扱った本などは選ばない方がいいでしょう。

理想的なのは、それを読むことで、人との会話が増えるといった本です。

文字が苦手な人は、キレイな写真がたくさん載っている、洋書の写真集などを眺めたりするのもいいでしょう。

新しい知識を得るたびに、人生の幅が広がっていきます。

ケータイの古い情報を消去する

気持ちを切りかえるために大切なのは、過去を捨てて、前を向くことです。

例えば、不要な古い情報を消去するだけでも、未来に進むパワーが湧いてきます。


「いらない」「捨てるべき」とわかっているのに、捨てずに放置してあるものは、自分にとって何のプラスにもならない、マイナスのエネルギーを持つ固まりです。

そうしたものを部屋やデスクなどにため込んでいると、何となく気持ちが沈む時間が増えていきます。面倒に感じても、今の自分に必要のないものは、意識的に整理して、どんどん処分していくことが大切です。

今すぐ簡単に整理できるもののひとつに、携帯電話に保存されているメールや電話番号があります。

消去するのが面倒で、今はもう連絡をとることはない人の電話番号やメールアドレスが、携帯電話にたくさん残っている人も多いのではないでしょうか？

それらの情報は、場所を取るわけではないし、見ようと思わなければ目に入ることもないので、一見、捨てなくても何も悪い影響がないように思えます。

しかし、実際には必要のない余計なものは、持ち主の心にマイナスの影響を与えることもあります。

古いデータを消した方がいい理由は、ほかにもあります。

それは、人は何かを捨てると、新しい何かを手に入れることができるためです。

例えば、昔の恋人の電話番号を消したら、新しい恋人ができたというような話は、意外と珍しくはありません。

物でも、人との縁でも、新しい何かを手に入れたいなら、今ある「不要なもの」をどんどん処分してみてください。それは、新しい笑顔の自分になるために、必要なことです。そうして改めて整理してみると、自分にとって本当に必要なものや情報は、そう多くはないと気づくでしょう。

瞑想で自分の心と向き合う

周囲の情報をシャットアウトして、
自分の心と静かに向き合う時間を持ちましょう。
これまで気づかなかった「自分の本心」に出会えるかもしれません。

大きく落ち込んだときには、傷ついた心をいたわる意味でも、静かに過ごす時間が必要です。

しかし、現代の日本に暮らしていると、本当の意味でひとりになれる時間は、あまりありません。

身の回りには多くの情報があふれていて、私たちを刺激し続けます。

ゴチャゴチャとした情報にいつも囲まれていると、私たちの脳と心は休むことができません。

たとえひとりきりで静かな部屋にいても、携帯電話の着信音がいつ鳴り出すかわからないような状況では、本当の意味でリラックスすることはできません。

そこで、ぜひ実行してほしいのが、1日の中で、**すべての情報をシャットアウトする時間**を作り、そして**「瞑想」**をしましょう。

ウィスコンシン大学のリチャード・デビッドソンは「瞑想をすると、脳は刺激やストレスと闘うモードから、受容と満足のモードに切りかわる。瞑想の効果としてストレスの減少、免疫組織の強化などが指摘される」と述べています。

瞑想は難しいメソッドがあると思われていますが、**目を閉じているだけ**でもいいのです。静かな音楽を聴きながら、目を閉じてもかまいません。

深く落ち込んだときは、心が癒えるまでに時間がかかるものです。心にマイナスのエネルギーであふれた状態で、無理に人に会ったりすると、いつも以上に疲れを感じてしまうと思います。

そんなとき、瞑想の時間を持つと、落ち込んでいた心が安らぐきっかけになります。また、瞑想中はアルファー波と呼ばれる脳波が出ることで、落ち込みから脱け出すための方法が見つかることもあります。

つらいのは「自分だけではない」と知る

誰にもいえずに苦しんでいる悩みがあるとき、
同じ悩みを持っている人と話をすることで、
心にプラスのエネルギーを増やせることがあります。

人は何か悩みがあるとき、

「私ばっかりイヤなことが起こる……」

「友人は皆、幸せそうなのに、自分だけがうまくいかないのはなぜ?」

というふうに**「自分だけがツイていない」**と思ってしまうものです。

悩みというのは、ひとりで抱え込むと大きくなっていきます。だからといって、他人に話して、理解してもらえなければ、もっとつらくなるだけです。

そのため、結局、誰にもいえずに苦しんでしまう人は多いのです。

そんなとき、同じ悩みを持っている人と話をすることで、心にプラスのエネルギーを増やせることがあります。

高校生の弟が不登校になってしまい、思い悩んでいる女性がいました。

「あんな弟がいたら、私の結婚にも悪い影響が出てしまうかもしれない」

「両親が亡くなった後、私が弟の面倒を見ることになったらどうしよう」

彼女の頭の中は不安でいっぱいになり、いつも心は暗く沈んでいました。

彼女はあるとき、インターネットで「家族の不登校に悩んでいる家族」が集まるサークルがあることを知り、思いきって参加してみました。

その会場には同じような境遇の人がたくさん集まっていて、それぞれが悩みを打ち明け合っていました。

「私だけじゃなくて、こんなにたくさんの人が同じ悩みを持っているんだ」と知ったことで、彼女はホッと安心して、それだけでも心が軽くなりました。

このように、深い苦しみを抱えてしまったときは、**同じ境遇にある人と話す機会を持つことが、心を救ってくれる**ことがあります。その人たちから情報を入手することで、実際の解決策が手に入る可能性も膨らみます。

大切に思う相手を喜ばせる

人は、自分だけが相手から「特別な存在」として扱われるとうれしく感じます。これは、長く一緒にいる相手でも同じことです。

常に一緒にいる家族や恋人、友人など、長い期間、つき合っている間柄の人とは、どうしても緊張感がなくなってしまうことがあります。

あるカップルも出会って間もない頃は、誕生日やクリスマスなどのイベントがあるたびに、ふたりそろって出掛けたり、プレゼントをし合ったりしていました。

しかし、交際が1年、2年と経つにつれて、イベントがあっても家で食事をするくらいで、ほぼ何もしなくなりました。

彼は「つき合いも長いし、居心地がいいから、何もしなくてもいいだろう」と思っていたのですが、彼女の方は「もう私に興味がなくなったのかもしれない」と悩むようになっていました。

彼は、彼女のことが嫌いなのではなく、むしろ安心して一緒にいられる大切な存在だと思っているのに、彼女にはそれがまるで伝わっていません。

これでは、どんどん気持ちがすれ違ってしまい、そのうち、せっかくのいい関係が壊れてしまうかもしれません。

人は誰かから**「特別な存在」**として扱われると、とてもうれしい気持ちになります。これは、ずっと一緒にいる恋人や夫婦でも同じです。

どんなにつき合いの長い相手でも**「相手を喜ばせる」というサービス精神を忘れないこと**は、人づき合いをスムーズにする特効薬ともいえるでしょう。

派手なことではなくていいのです。何でもない日に小さなプレゼントを渡すなど、簡単にできそうで、あまり人がやらないことは、とくに相手を喜ばせます。

自分にとって大切な相手を傷つけてしまえば、あとで自分も落ち込むことになるでしょう。そして、大切な人に「特別な存在」とうれしく感じてもらうことは、自分が相手にとっての「特別な存在」になることにもつながります。

人とは寂しさより希望を分け合う

孤独を感じたとき、心は暗く沈みます。
そんなとき、自分を応援してくれる人がいるだけで、
心には明かりが灯《とも》るのです。

人が最も落ち込むのは、孤独を感じたときです。

その証拠に、ある心理学者によると、自殺につながる感情のひとつに「深い孤独感」があるそうです。

ですから、寂しそうな顔をして落ち込んでいる人がいたら、寂しい気持ちを察して**「私はあなたのことを気にしていますよ」**というメッセージを送ってあげましょう。ささいな言葉でも、相手には大きな勇気を与えることになります。

S子さんはある会社に転職しましたが、周りの環境になじめずに、心は不安で

いっぱいでした。

「本当に転職してよかったのだろうか？　前の会社にいた方がよかったのかもしれない。周りに心を開いて話せる人もいなくて寂しい」

そんなことを思いながら過ごしていたある日、前の会社の同僚だったK子さんから電話がかかってきました。

「S子さんのことが気になって電話したの。新しい会社はどう？　新しい環境で慣れないこともたくさんあるだろうけど、あなたならきっと大丈夫よ」

そう、K子さんに励まされたS子さんは、次の日から会社へ行くのが憂うつでなくなりました。

悩んでいるときや不安なときは、前向きに考えるのが難しくなってしまいます。そんなときに、自分の存在を肯定し、応援してくれる人の存在は、その人にとっては大きな力になります。

そして、「あなたのおかげで元気が出たよ」といわれたり、元気そうな顔を見ると、応援した人の心にも大きなプラスのエネルギーが湧いてきます。

孤独な人に希望をあげると、それは自分の希望にもなるのです。

不運が続いたら「デトックス」と受けとめる

つらいことが集中するのは、今が「デトックス」の時期だからです。
心にたまったマイナスの悪いエネルギーを全部出してしまえば、次は、プラスのいいことがどんどん起こります。

デトックスというのは、「解毒」という意味です。

もともとは、体内にたまった重金属などの有害物質を、体外に出すときに使われる言葉です。デトックスをすると、一時的には熱や発疹が出るなど、体にさまざまな変調が現れることがあります。しかし、悪いものが外に出てしまうと、体調はぐんとよくなります。体の中がきれいな健康な状態になったからです。

これと同じことが、人の「運気」でも起こります。

私たちの体には、無理をしたときの疲れや、精神的なストレスが日々たまっています。それらはすべて、マイナスのエネルギーとなって、心の中に積み重なっていきます。

もともと、心がプラスのエネルギーであふれていた人の心に、マイナスのエネルギーがたまると、心は大きなストレスを感じて、マイナスのエネルギーを外に出そうとします。すると、マイナスのエネルギーの「デトックス」が起こり、一時期に身の回りに不運なことが集中して起こるのです。

恋人と別れ、友人と疎遠になり、仕事もうまくいかない……。そんなとき「私はとことん運が悪い」と落ち込んでしまえば、せっかく心が外に排出したマイナスのエネルギーは、また心の中に取り込まれてしまうでしょう。

「今はデトックスの時期」と受けとめて**「これで次は、きっといいことがある」**と考えれば、心には一気にプラスのエネルギーが増えていくのです。

大成した人物から「あのときの苦労があったから、今の幸せがある」という言葉を聞くことがあります。その人はきっと、デトックスの時期を前向きな思いで乗り越えたから、成功することができたのでしょう。

デトックスの後には、大きな幸せがやってくるものです。

今の悩みが解決しなくても幸せになれると気づく

この悩みがある限り、幸せになれないと思い込んでいませんか？
周りを見渡してみてください。同じような悩みを持っていても、
幸せに暮らしている人はたくさんいます。

ある整形外科医が、こんなことをいっていました。

「私のクリニックを訪れる人のなかには、たった1センチの顔の傷に悩み、もう死んでしまいたいと涙を流すような人がたくさんいるんです。私から見たら、気にするほどの傷でもないんですが……」

1センチの傷がどれほど心を悩ませるかは、その人の受けとめ方の問題です。

「世の中には、重い病気で悩んでいる人もいるんですよ。あなたは健康なんだから、そんな小さな傷くらいで悩むんじゃない」

と責める権利は、誰にもありません。

その先生は、顔の傷を目立たなくする手術をしたいと願う女性の希望をそのますんなりと受け入れることには抵抗がありました。その先生はそういった患者さんに、次のようにいっているそうです。

「この傷があっても、あなたは十分に魅力的ですよ」

「今のままのあなたでも、幸せになれますよ」

その言葉を聞いた途端、うれし涙を流す女性は多いそうです。

「私は美しくない」「私は幸せになれない」とずっと思い込んできた女性にとって、「今のままの自分」をほめてもらえたことが、大きな衝撃だったのでしょう。

深刻な悩みを抱えている人は、

「この状態のままでは、私は幸せになることができない」

と思ってしまうものです。

「太っているから、誰にも愛されない」「持病があるから結婚できない」

これらは、**本人の勝手な思い込み**です。今の悩みや問題を抱えたままでも、幸せになることはできると気づくと、気持ちが軽くなります。

7章

焦りやプレッシャーに負けそうなとき

紙に書き出して現状を把握する

「どうしよう。何から手をつけていいのか、わからない」パニックになる前に、今の状況を紙に書き出してみましょう。思考がクリアになり、具体的な対処法が見えてきます。


人はネガティブな感情にとらわれると、冷静に考えることができなくなります。

「このままどんどん、状況が悪くなってしまったらどうしよう……」

そんなふうに、パニックになると事実以上に大変なことに思えたり、冷静さを取り戻すのにも、時間がかかってしまいます。

パニックになるのを防ぐには、何か予想外のアクシデントが起こったときには、**その状況をすぐ、紙に書き出してみること**が効果的です。

「今、自分が困ったと感じている原因は、何だろう?」

「今の状況を放っておくと、どうなるのだろう？」

「対策として、自分に今、できることは何があるだろう？」

といったような質問を紙に書きながら、自分に投げかけるのです。

すると、客観的に状況を見ることができるようになり、冷静な気持ちで、問題と向き合うことができます。思考はクリアなままなので、

「締切を2日、延ばしてもらえば、大丈夫そうだ。すぐに電話してお願いしよう」

「2～3日、残業すればなんとかなる」

といった解決策も見えてきます。

困ったことが起きたとき「参ったなあ」「私は運が悪い」と悩んでいるだけでは、事実と感情が混乱してしまい、解決策を導くことが難しくなってしまいます。

そんなとき、**活字という目に見える形**にすると、

「今、自分はどうすればいいのか」

がわかるため、問題が大きくなる前に対処することができるでしょう。

何かあったら、すぐに紙に書いて状況の把握に努める習慣をつけましょう。

何があっても平常心で、解決できる自分になれます。

正直に「わかりません」という

「わかりません」ということを恐れていませんか？
知ったかぶりをするよりも「教えてください」という方が、
心のストレスはずっと小さくなります。

友人と会話をしている最中、自分の知らない話題が出てきたときに、「そのことは知らなかった。詳しく聞かせて欲しいな」と素直にいえる人は、ストレスがたまりにくい、凹まないタイプの人です。

世の中は広いので、わからないこと、知らないことがあるのは、当然です。

それは、恥ずかしいことではありません。

しかし、見栄っ張りな人は「わかりません」ということをカッコ悪いと思って焦ってしまうようです。

そのため「知っているよ。そんなこと当たり前だよ」と見栄を張ってしまい、後で困ることになるのです。

知ったかぶりをすると「本当は知らないことがバレたら困る」という気持ちを常に心の底に持つことになり、神経はどんどんすり減ってしまいます。

また、そういう人は、知らないことをごまかすために、いい加減なことをいうので、言葉に説得力がなくなります。

そのため、本当のことをいっていても、

「この人が話していることは本当だろうか？　何となくウソっぽい」

と疑いを持たれてしまいやすくなります。

心の中に「知ったかぶりをしてしまった」という罪悪感があり、そのマイナスの感情が口ぶりや態度を通じて相手に伝わるため、人からの信頼を得ることもできません。

わからないことがあったら「わかりません」と正直にいうようにしましょう。

知ったかぶりをする人よりも、その方がずっと好感を持たれますし、何より自分の心にウソをつかなくてすむので、心が疲れません。

頼まれ事はできそうな部分だけ引き受ける

人に何かを頼まれたときは、

「できる範囲」で力を貸すようにしましょう。

感謝されることで、心にプラスのエネルギーが補給されます。

恥ずかしがり屋の人のなかには
「自分から人のために何かをするのはハードルが高い」

という人がいるかもしれません。

そんな人は、人から何か頼まれたときに、

「私でお役に立てるなら、お受けします」

と喜んで引き受ける、という方法があります。

自分がこの人の力になりたいと思えるような相手だと、心に増えるプラスのエネルギーが、とくに大きくなります。

とはいえ、頼まれ事の内容が自分には苦手なことだったり、到底できそうにないことという場合もあるでしょう。

そんなときは、**できそうな部分だけを引き受ける**という方法があります。

ある女性は、会社の後輩から結婚式の二次会の司会を頼まれました。しかし、人前で上手に話すことが苦手だったため、申し出を断ろうと考えました。

しかし、自分を頼ってくれた後輩の力になりたいと思い、

「司会は難しいけれど、よかったら受付を担当させて」

と提案しました。後輩は、それだけでもとても喜んでくれました。

このように、**何かを頼まれても、全てを引き受ける必要はない**のです。

誰にでも得意なこと、不得意なことがあります。出来ないことを引き受けると、ストレスになったり、かえって相手に迷惑をかけてしまったりすることもあります。そんなときは、できる範囲で力を貸すだけでもいいのです。

相手の喜ぶ顔を見たら、「引き受けてよかった」と自分も嬉しくなるに違いありません。

想定外の出来事はあって当たり前と考える

うまくいく可能性が100%ということなんて、世の中にはひとつもありません。思いがけないアクシデントも「あって当然」と考えることで、心は凹みにくくなります。

目標や夢を追いかける途中で、

「やり方を間違ったかもしれない」

「こっちの方法は間違っているみたいだから、引き返そう」

「やっぱり、この道で行く」

そういった迷いが生じることもよくあります。

自分の思いに迷いはなくても、周りの人に反対されたり、アクシデントが続いたり、妨害されたりといった、想定外のことが起きることもあります。

スムーズに成功して当たり前、と思っていると、そのような「想定外」のことがあったときに、大きく落ち込むことになります。

そんなときに「自分はツイてないな……」と落ち込むと、心にはどんどんマイナスのエネルギーが増えていってしまいます。

予定と違う出来事が起きたときは、冷静にこんなふうに考えましょう。

「チャレンジするときに、想定外のことが起きるのは当たり前。落ち込んでいるヒマがあったら、失敗を取り戻す方法を考えよう」

こう考えられる人は、人生の中で凹んでいる時間が少なくなります。

ある女性経営者は、何か困ったことが起きると「困った」というかわりに、

「そう来たか」

というようにしています。すると、なんとなく目の前のチャレンジがゲーム感覚に思えてきて、気持ちを明るく保てるそうです。

「自分の道を歩む人は、誰でも英雄です」と詩人のヘッセはいいました。

想定外のことがあっても、オロオロ慌てたりせず、真正面から受けとめる覚悟があれば、それだけで落ち込みを防ぐことができるのです。

解決できない悩みにはプロの力を借りる

今の状況から脱け出すために、「プロの力を借りる」という選択肢も加えてみましょう。「自分で解決しなくては」と意地を張る必要はありません。

「ファッションセンスが悪くて、服選びに自信が持てなかったけれど、パーソナルスタイリストに似合う色を教えてもらって、おしゃれが楽しくなった」

「ずっと悩んでいた腰痛が、いい整体師に治療してもらったら、ウソのようにラクになった」

そんなふうに、**思いきってプロの力を借りることで、それまでの悩みが一気に解決する**ことがあります。

これは、精神的な苦痛についても同じことがいえます。

どうしていいかわからない悩みを抱えてしまったときは、信頼できるカウンセラーに話を聞いてもらうことで、いいアドバイスがもらえるかもしれません。

わけもなく涙が出てきて、仕事にも集中できないようなときは、メンタルクリニックに相談してみるという方法もあります。

ある女性は、夜、なかなか眠れないことで悩んでいました。

眠れないと、翌日は頭がボーッとしてしまい、仕事にも身が入りません。

「なんとかしなければ」と気持ちは焦るのですが、眠れない夜は続き、精神的にも体力的にもつらい日々が続いていました。

そんな彼女を見かねた友人が、彼女に心療内科に行くことをすすめました。

最初は「別に、病気じゃないから、病院に行くなんておおげさすぎる」と抵抗していた彼女でしたが、結局、友人に連れられて診察を受けに行きました。

その晩、病院で処方された薬を飲んだ彼女は、何か月かぶりにぐっすりと眠り、「もっと早く病院に行けばよかった。次からはひとりで無理をしないで、困ったときはプロの力を借りようと思います」と笑顔で話していました。

心や体の悩みをプロに相談することは、何も恥ずかしいことではありません。

自分で判断する訓練をする

他人の目で自分の価値をはかることは卒業しましょう。
誰もほめてくれないのなら、
自分で自分をほめればいいのです。

他人からの評価で自分の価値をはかろうとすると、人生の中で凹む機会が増えてしまいます。

人は気まぐれです。その人の機嫌が悪いときと、機嫌がいいときでは、こちらに対する評価も変わってきます。

自分に自信がない人はつい、他人からの評価を求めてしまいがちですが、他人からの評価を気にしている限り、批判されたり、嫌味をいわれたりするたびに、大きなショックを受けることになります。そして、そんな自分がイヤで、また自信を失うといった悪循環に陥ってしまうのです。

凹んでばかりいる自分を卒業したいなら、もう他人の目に映る自分の姿で、自分の価値をはかることをやめましょう。

そのためにできる簡単なトレーニングがあります。

それは、**日常生活の中で「私はこれがいい」と自分の好きなもの、選んだことをはっきりさせる訓練**をするといいでしょう。

例えば、レストランでも、隣の人が頼んだものを「同じで」と頼むのではなく、しっかりとメニューを見て、自分が何を食べたいのかを真剣に考えて「私はこれ」と注文するのです。他人から何か意見を求められたときも、他人の目を気にしないで、しっかりと自分の気持ちを探り、それを伝えましょう。

これをくり返すと、自分の判断に自信が持てるようになり、他人の評価で自分をはかることがなくなります。

自分の価値を決めるのは、他人ではなく自分自身です。

苦手な誰かの評価で自分の価値が決まるわけではありません。他人が何といおうが、あなたの価値は変わらないのです。

焦らないコツ 7

苦痛を逃れる方法を探し、実行する習慣をつける

ガマンするしかないと決めつけていませんか？

その苦痛から逃れる方法を本気で考えてみてください。

意外と簡単な解決策があるかもしれません。


ある会社員の男性は、毎日、会社に通うのがイヤで仕方ありませんでした。

朝起きて「ああ、今日も会社だ」と思うと、それだけで気分が落ち込んでしまいます。会社についてからも、なんとなく元気が出ません。一日働いて家に帰ると、もう何もしたくないくらい、グッタリしてしまいます。

彼はあるとき「なぜ、こんなに苦しいんだろう？」と考えてみました。

冷静に考えると、それほどイヤな上司がいるわけでもないし、仕事もキツイけれど、やりがいのある仕事をさせてもらっています。

「それなのに、どうして、会社に行くのが苦痛なんだろう……？」

そう考えたとき、ひとつの理由が浮かびました。

それは、毎日乗っている通勤電車のラッシュの混雑がひどいことです。

今の会社は過去に通っていたどの職場よりも遠いため、彼は毎日、1時間近くも満員電車に揺られて会社に通っているのです。

そのため、朝起きると「会社に行きたくない」という気持ちが大きくなり、満員電車が原因で、会社そのものにもマイナスの感情を抱くようになったのです。

そのことに気づいた彼は、思いきって会社まで自転車で通える場所に引っ越しました。家賃は少し高くなりましたが、毎日の通勤の苦痛がなくなったことで、会社がストレスではなくなり、ウソのように毎日が楽しくなったそうです。

このように、**苦痛の本当の原因**を探してみると、意外とすぐに解決できることもあるものです。

イヤなことがあっても「ガマンするしかない」と決めつけずに、**まずはその状態を脱け出すためにできることを探し、それを実行する習慣を持ちましょう。**

それだけで、人生は随分と生きやすくなります。

急がない生活を送る

時間に追い立てられる生活は、
心にマイナスのエネルギーを増やします。
反対に「まだ5分余裕がある」と考えるとき、
私たちの心にはプラスのエネルギーが生まれるのです。

「時間がない」ということは、それだけで心に大きなストレスを与えます。

例えば「待ち合わせの場所に5分前に着けそうだ」と思いながら移動をするのと「5分遅れてしまいそうだ」と思いながら移動するのとでは、そこに向かっている間の心の状態は180度違います。

たった10分の違いなのに、**5分早く着くと思えば、心にはゆとりが生まれ、プラスのエネルギーが増えます。**5分遅刻してしまいそうだと思えば、心には焦りが生まれて、マイナスの感情が増えてしまいます。

それに、時間がないという状況に置かれると、人は失敗しやすくなります。

何をするにもギリギリで、いつも慌てている人は、たいてい仕事でもミスをしやすいようです。いつも時間に追われているために、準備不足でしっかりといわれたことをやっていなかったり、確認不足でいつも同じようなミスをしてしまうことが多くなるからです。

心当たりがある人は、自分の時間に対する考え方や、1日の使い方について改めて考えてみるといいでしょう。

例えば、いつも時間に追われている人というのは、予定を詰め込みすぎている傾向があるようです。**予定を見返してみて「よく考えると、この予定は省略できるな」ということがあれば、どんどん省いてしまいましょう。**

「忙しいときには無理をしないで、頼まれごとを断る」

「家に帰ってクタクタになるほど、予定を入れない」

それを心がけるだけでも、毎日の生活にゆとりが生まれると思います。

急がない生活を送るようにすると、毎日のストレスが減っていきます。

自分の考えをさりげなく伝える

必要な場面では、きちんと自分の気持ちを相手に伝えましょう。受け入れてもらえるかどうかは、じつは小さな問題です。ガマンしすぎないことが大切なのです。

人間関係において、周りにいる人たちと意見を合わせることは大切なことです。例えば、友人たちと食事に行くときに、「私は脂っこいものが嫌いだから、中華とイタリアンはパス」とわがままをいうと、他の人は「何、好き勝手なことといっているんだ」というように感じて、場の空気が悪くなります。

意見を合わせることを優先するなら「どんなお店でもいいよ」というのが無難でしょうが、それではいつも周りの顔色を見て、それに合わせなければいけなくなります。

それはもちろん、悪いことではないのですが、いつも自分の気持ちを抑え込んで、周りの人の意見をうかがうようなあいまいな態度を取ってばかりいるのなら、注意が必要です。

誰でも、何かをするときは「自分はこうしたい」「自分はこう思う」という主張や意見が生まれるのが普通です。

そんな心の声を無視し続けていると、

「あのとき、きちんと自分の意見をいっておくべきだった」

と後悔の気持ちが湧いて、心にマイナスのエネルギーが増えてしまうのです。

必要な場面では、できるだけはっきりと、自分の意見をいうようにしましょう。

「自分はこの映画がいいけれど、皆はどう？」

というふうに、自分の意見をいいつつ、周りの意見にも耳を傾ければ、失礼にはなりませんから、誰も不愉快にならないでしょう。

その映画を観なかったとしても**「自分の意見を伝えられた」**という満足感で、心はスッキリと晴れやかになるはずです。

ときには親切にする相手を選ぶ

いい人間関係は、自分にプラスのエネルギーを与えてくれます。
相手にやさしくすることが苦痛になるのなら、
無理にそうする必要はありません。

人に親切にするときに、ひとつ気をつけて欲しいことがあります。

それは、相手と自分が**「平等な関係」**であるか、ということです。

例えば、誰かと一緒にいるときの感情を思い出してみてください。

「この人の前だと、ビクビクしてしまって、正直な自分の気持ちをいえない」

「普通に話しているだけなのに、何だかバカにされているような気分になる」

こんなふうに感じる相手とは､正しい人間関係が築けてない可能性があります。

一緒にいて、どちらかに圧倒的にメリットがあり、どちらかが極端にソンをするような関係なら、自分のためにならない可能性があります。

世の中には、人間関係で苦しんでいる人がたくさんいます。

「自分がいくら尽くしても、相手は自分に興味すら持ってくれない」

「心の中では大切に思っているのに、会うと相手がケンカ腰になる」

このように、自分が関係をよくしようと努力していても、すれ違ってばかりいるなら、その関係はあなたの人生に不要なものかもしれません。

人にやさしくすることが、落ち込みから脱け出すために効果的、人生にとってもプラスになるということは、すでに話しました。

しかし、自分の親切を相手がまったく喜ばず、自分自身も「親切にしてよかった」と思えないような行為なら、無理をして続ける必要はありません。

それでは「宇宙銀行」に徳も貯まらないし、心にもプラスのエネルギーが増えないからです。

人間関係のなかには、すごく厳しいけれど尊敬できる人もいれば、まったく怒らないけど顔も見たくないという人もいます。

親切は素晴らしい行為ですが、ときには、相手を選ぶことも必要なのです。

会うたびに凹む相手とのつき合い方を変える

会うたびに凹んでしまうような相手に無理に合わせる必要はありません。どうせなら、一緒にいて楽しい人と過ごしましょう。

世の中にはいろいろな人がいます。

やさしい人、気が利く人、誠実な人、いつも明るい人など、一緒にいるとハッピーになれる人がいる一方で、無神経な人、口が悪い人、意地悪な人など、会うと気分が落ち込む人も少なからず存在します。

心にマイナスのエネルギーが増えてくると、マイナスに満ちた人を引き寄せます。

そのため、焦っていたり、イライラしたり、凹んでいるときは、ますますイヤな気分になるような人と出会ってしまいがちです。

落ち込んでいるときは、それ以上、心にマイナスのエネルギーを増やさないために**「この人と会うと、後で落ち込みそうだ」という人とは、意識的に会わないようにすることも必要**でしょう。

人間には相性というものがあります。

「どうしても、この人とはソリが合わない」という人が何人かいるのは、珍しいことではないのです。

これまで親しくしていた相手と距離を置くことに、罪悪感を持つ人もいるかもしれません。

しかし、別にその人と縁を切るわけではないのです。自分が相手のマイナスのエネルギーを跳ねのけるような元気のあるときなら別ですが、心が弱っているときには、**意地悪な人から自分の心を守ることも必要**なのです。

まじめな人は、誰とでも公平に付き合わなければいけないと考えがちです。

しかし、誰だって、本当は一緒にいて楽しい人とつき合いたいはずです。

そんな自分の気持ちに、もっと素直になってもバチは当たりません。

何かしてあげるより「一緒にいるとき」を大切にする

人と一緒にいるときは、
目の前にいる人のことを第一に考えましょう。
その人との時間を心から楽しむだけでも、
二人の心は明るくなります。

誰かと一緒にいるとき、とくに何もしなくても、自分が心から楽しむだけで、相手を幸せな気持ちにさせてあげることができます。

小さな子供がまさにそうです。彼らは自分の感情をストレートに表現します。「楽しいね！」と声に出して伝えようとしていなくても、笑顔や体の動きから、楽しさが自然にあふれ出ているので、そのプラスのパワーが伝染して、見ている人たちを楽しい気持ちにすることができます。

あなたは、誰か大切な人と時間を共にしているとき、心から楽しんでいるでしょうか？

躊躇《ちゅうちょ》なく「はい」と答えられる人は、案外少ないと思います。

なぜなら、私たち現代人は常に忙しく、何らかのスケジュールに追われているので「楽しむ」という心のゆとりをないがしろにしがちだからです。

家族で一緒に食事をしているのに、たいした会話もなく、頭では仕事のことばかり考えてはいませんか？

また、恋人とデートするときに、相手が立てたプランについて「こんなところには行きたくない」などと文句ばかりいってませんか？

そんなことでは、一緒にいる相手は「私といても楽しくないんだな」と感じてしまうでしょう。

親切というと、自分から何かすることを考えがちです。しかし、**一緒に楽しむことも、人助けのひとつ**になるのです。

目の前にいる相手のことを第一に考えて、楽しく過ごすように心掛けましょう。

それだけで、ふたりの心にプラスのエネルギーが湧き出てくるのです。

焦らないコツ 13

「やるべき」ではなく「やりたいか」を問う

「〇〇すべき」と思いながら行動をすると、確実にストレスが増えます。そんなときは、「自分がやりたいからやるんだ」といいかえましょう。


「サラリーマンなら毎日、会社のために一生懸命に働くべき」

「女性はいつもキレイにして、やさしくしているべき」

日本人は、このような「〇〇しなくてはいけない」「〇〇すべき」という義務感を背負って生きている人が、外国に比べて多いようです。

会社の会議から、家族の団らんの中まで、会話のすみずみに、この「〇〇すべき」という言葉を聞くことは珍しくありません。

これは、日本人がいかにまじめで、責任感が強いかということを表しているといえるでしょう。

義務感を持って目の前の出来事に立ち向かうのは、とても立派なことです。実際に、仕事でも人間関係でも、義務感が強い人というのは「あの人は誠実な人」と一目置かれる存在になります。

しかし、義務感が自分を苦しめているようなら、それは問題です。

「○○すべき」「○○せねば」という言葉の奥に「本心ではやりたくない」「仕方ないから、無理にやる気を出している」という事実があるなら、それをするたびに、心にはマイナスのエネルギーが増えてしまいます。

この状況を防ぐには**「○○すべき」といいそうになったら「本当にそれは自分が望んでいることなのか？」と自分に問いかけてみる**ことです。その結果、人に強制されなくても、自分がやりたいと思うことなら、進んでやりましょう。

そして「○○すべきだからやる」ではなく**「自分がやりたいからやるんだ」**と考えましょう。すると、人にやらされているというストレスがなくなり、同じ事をするときにも、気持ちが軽くなります。

凹みやすい人は「○○すべき」で行動する数を減らしていきましょう。

うまくいかなかったのは「人生の軌道修正」と考える

自分が本当に「生きたい場所」に行くためには、思いきった人生の軌道修正が必要なこともあります。大きな挫折は、夢に近づく軌道修正のチャンスでもあるのです。

目標に向かって頑張っていたのに、思うような結果が出なかったとき、努力した時間が長ければ長いほど、落ち込みは大きくなります。

ある女性は、客室乗務員になることを夢見ていました。しかし、就職活動の結果は不合格で、彼女の夢はかないませんでした。

彼女は仕方なく、第二志望だった商社に就職しました。

そして、彼女はその会社ですてきな男性に出会い、2年後に結婚したのです。夫となった男性は、海外旅行が趣味で、彼女を年に何回も海外旅行に連れていってくれました。

もともと、海外に行くのが好きで客室乗務員になることを夢見ていた彼女は、客室乗務員にはなれなかったものの、海外旅行の好きな男性と結婚したことで、その夢をかなえることができたのです。

彼女の母親は、あるとき、彼女にこんなことをいいました。

「あのとき、客室乗務員の試験に落ちたのは、すてきな旦那さんに出会うためだったのね。あなたは体が弱いから、きっと客室乗務員の仕事に就いても体力的に厳しかったと思う。あのとき、神様が試験に落としてくれたから、今、お客さんとしてのんびり海外旅行が出来るのよ。神様に感謝しなくちゃね」

彼女は、その言葉が真実のような気がしました。

じつのところ、彼女は昔から、結婚願望も強かったのです。第二希望の商社には独身男性が多く、そのなかに結婚相手の男性もいました。もしかして、女性ばかりの客室乗務員になっていたら、相手とも出会えなかったかもしれません。

「当時はつらかったけど、私には必要な軌道修正だったんだ」と思うと、ずっと胸に抱えていた「客室乗務員になれなかった」という悔しさも消えました。

「最悪の瞬間をどう乗り越えたか」を思い出す

人の心には苦しみから立ち直るパワーがあります。
過去の苦しみをこれまで乗り越えてきたあなたなのですから、
今度の苦難も、必ず乗り越えられるはずです。

「もうダメだ……。取り返しがつかないことになってしまった」

そんなときは、自分が元気になる姿など、想像もできないものです。

プラスの要素がなければ、心にはどんどんマイナスのエネルギーが増えていってしまいます。そんなときは、マイナスのエネルギーがマイナスの出来事を引き寄せてしまう前に、気持ちを切りかえましょう。

方法のひとつに、**過去に「今は最悪の状況だ」と思ったときの経験を思い出す**というものがあります。

「会社で希望をしない部署に異動になった挙句、恋人にふられてしまった」「交通事故にあって、1か月以上も入院した」

など、大変な思いをしたことが、誰にでも一度くらいはあるものです。

しかし、そんな最悪の状況は、いつの間にか遠い過去になってしまいました。

つまり、人は最悪の状況から何度も立ち直って、元の元気な自分を取り戻しながら、生きているということです。

人間の心はマイナスの状況から立ち直る強いパワーを持っているのです。

何の根拠もなく「どうしよう」「もうダメだ」などと不安を抱えていると、人はどんどん落ち込んでしまうものです。

しかし、そこで過去の苦しかったときを思い出して、

「あのときだって大変だったけど、立ち直ることが出来た。だから、今回もきっと大丈夫だ」

そう考えることができれば、心には少しずつプラスのエネルギーが湧いてきます。あきらめてしまう前に、「あのときも乗り越えられたから、今回もうまくいくに違いない」と自分を励ましましょう。

「前向きにあきらめる」ことを覚える

すべての悩みに解決策があるはず。
誰だってそう願いたいのですが、実際の人生には、
どうしようもないことも存在するのです。

すべての悩みに解決策があると思っていると「何かいい方法があるはずだ」と気持ちが焦ってしまうことがあります。

そんなとき、答えが見つからないと「自分が無能だからだ」「自分の努力が足りないからだ」と自分を責めてしまうことにつながります。

しかし「すべての悩みに解決策がある」という考え方は、絶対に正しいともいいきれないのです。

お年寄りと話をしていると、

「当時はつらかったけど、今になるとあのとき苦労しておいてよかったと思う」というような言葉をよく聞くことがあります。

苦労したことの意味が、何十年後にようやくわかることもあるのです。

つまり、答えの出ない悩みを抱えて、落ち込んでしまったときは、**「世の中には悩んでも仕方ないことがある」と理解して「解決しようとするのをあきらめる」ことが必要なときもある**と考えましょう。

じつは、あきらめるという言葉は「あきらかにする」という意味からきています。そう考えると、**あきらめることは、決してネガティブな行為ではない**のです。

前向きにあきらめると「この問題は悩んでいても解決しないから、割りきるしかない」と自分の中で区切りをつけて、前に進むきっかけにもなるのです。

人生にどうしようもないことがあるからといって、その人生が不幸というわけではありません。

「いろいろ苦しいこともあるけれど、楽しいことを見つけながら、毎日を過ごしていこう」と考えることで、気持ちは少しずつ明るくなるでしょう。

ときの流れに身を任せる

何をしてもうまく行かないときは、
ただ静かに未来の幸せを信じながら、
ときの流れに身を任せるという選択もあります。

「十分に手を尽くした」

「これ以上、自分にできることは何もない」

それでも、状況がよくならないときは「今は休息の時期」と風向きが変わるのを待つべきと考えましょう。

焦らずに、ときの流れに身を任せる方がいいときもあるのです。

心にプラスのエネルギーを増やすために努力をすれば、いずれ、プラスの出来事が訪れます。しかし、その出来事がいつやってくるかはわかりません。自分の望んだタイミングで、ラッキーが訪れるとは限らないのです。

それは仕方のないことですし、そんなことでイライラして、マイナスのエネルギーを増やしてはいけません。

ヨットは、風がないと前に進むことができません。しかし、ヨットに乗る人で、「どうして、風が吹かないんだ」と空気に向かって怒る人はいません。

彼らはただ、黙って風が吹くのを待っています。

人生も同じです。**自分の望むタイミングでプラスの出来事が訪れなくても、それは誰のせいでもありません。**

メジャーリーグで活躍するような実力のある野球選手でも、スランプの時期が必ずあります。人生には、何をしてもうまくいかないときがあるのです。

そんなときは、木が土の下で根を伸ばすように、見えない部分の自分が成長しているとも考えられます。

大切なのは、思考がネガティブに向かわないようにすることです。それが難しいときは、マッサージやアロマテラピーなど、意識的に自分が快適になることをするのもいいでしょう。**何もしないことが解決策になることもあるのです。**

おわりに

この本では、心に生まれた、さまざまなネガティブな感情を小さくし、重く苦しい心の状態をスッキリと軽くする113の方法をお伝えしてきました。

自分に合う方法、好きな方法でかまいません。それらをぜひ、習慣として取り入れてみてください。

心が凹むきっかけは、これからの人生にもたくさんあるでしょう。

そうしたとき、凹みやすい心に逆戻りしないためには、いつも心にプラスのエネルギーを増やし、打たれ強い凹まない心をキープしておくことが大切なのです。

日常でいつでもできる、プラスのエネルギーを増やす効果的な方法をおさらいしておきましょう。

ひとつは**「プラスの言葉を使うこと」**です。

「ありがとう」「うれしい」「楽しい」「おめでとう」といった、プラスのエネルギーを持つ言葉を口グセにして、毎日使っていきましょう。

ふたつめは**「笑顔」**です。

ちょっと凹んだときも、笑顔でマイナスのエネルギーを吹き飛ばすよう、毎日を笑顔で過ごすことを意識してみてください。

最後は**「人を喜ばせ、感謝されること」**です。

いつも人を喜ばせる方法を考えて、感謝をされる経験をしましょう。人を喜ばせるほど、心にプラスのエネルギーが増え、日々の幸せを増やします。

ネガティブな感情が心に生まれても、プラスのエネルギーを増やしておけば、大きく凹む心配はありません。それでも凹んだときは、この本を読み返して、サッと応急手当てをしてください。

植西　聰

植西 聰（うえにし あきら）

東京都出身。著述家。

学習院高等科、同大学卒業後、資生堂に入社し、その後独立。

「心理学」「東洋思想」「ニューソート」などに基づいた人生論の研究に従事。1986年、長年にわたる研究成果を体系化した『成心学』の理論を確立し、著述活動を開始する。1995年、「産業カウンセラー」（労働大臣認定資格）を取得。

著書に『「折れない心」をつくるたった一つの習慣』（青春出版社）、『「いいこと」がいっぱい起こる！ブッダの言葉』（三笠書房）、『「もうダメだ」が「大丈夫」に変わる1秒セラピー』（PHP研究所）などがある。

デザイン……アド・エス・ケイ・アイ
小林加代子
カバー・本文イラスト……武政諒
組版・製版……センターメディア
校正……くすのき舎
編集協力……山﨑さちこ
編集……遠藤英理子（永岡書店）

一瞬で気持ちを切りかえる！

凹まない人の感情整理術

著者……植西聰
発行者……永岡修一
発行所……株式会社　永岡書店
〒176-8518　東京都練馬区豊玉上1-7-14
代表　03（3992）5155
編集　03（3992）7191
印刷……図書印刷
製本……コモンズデザイン・ネットワーク

ISBN　978-4-522-47647-5　C0176